과분한 사랑 주심에
항상 감사드립니다!

GARBAGE TIME

DASAN
COMICS

매일매일 새로운 재미, 가장 가까운 즐거움을 만듭니다.

한국을 대표하는 검색 포털 네이버의 작은 서비스 중 하나로 시작한 네이버웹툰은 기존 만화 시장의 창작과 소비 문화 전반을 혁신하고, 이전에 없었던 창작 생태계를 만들어왔습니다. 더욱 빠르게 재미있게 좌충우돌하며, 한국은 물론 전세계의 독자를 만나고자 2017년 5월, 네이버의 자회사로 독립하여 새로운 모험을 시작하였습니다.
앞으로도 혁신과 실험을 거듭하며 변화하는 트렌드에 발맞춘, 놀랍고 강력한 콘텐츠를 만들어내는 한편 전세계의 다양한 작가들과 독자들이 즐겁게 만날 수 있는 플랫폼으로 거듭나고자 합니다.

#03

가비지타임

글 · 그림 **2사장**

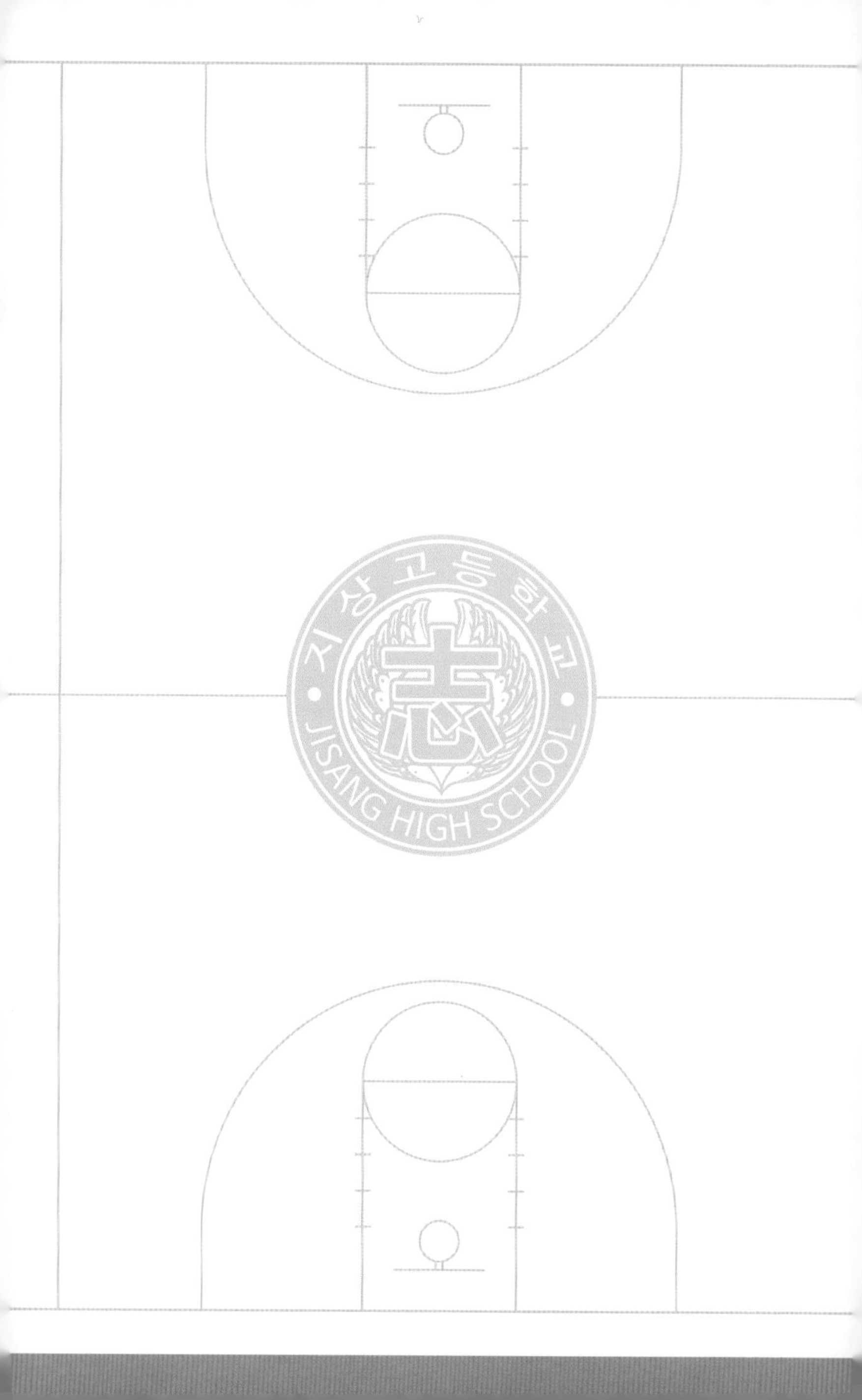
지상고등학교
JISANG HIGH SCHOOL

CONTENTS

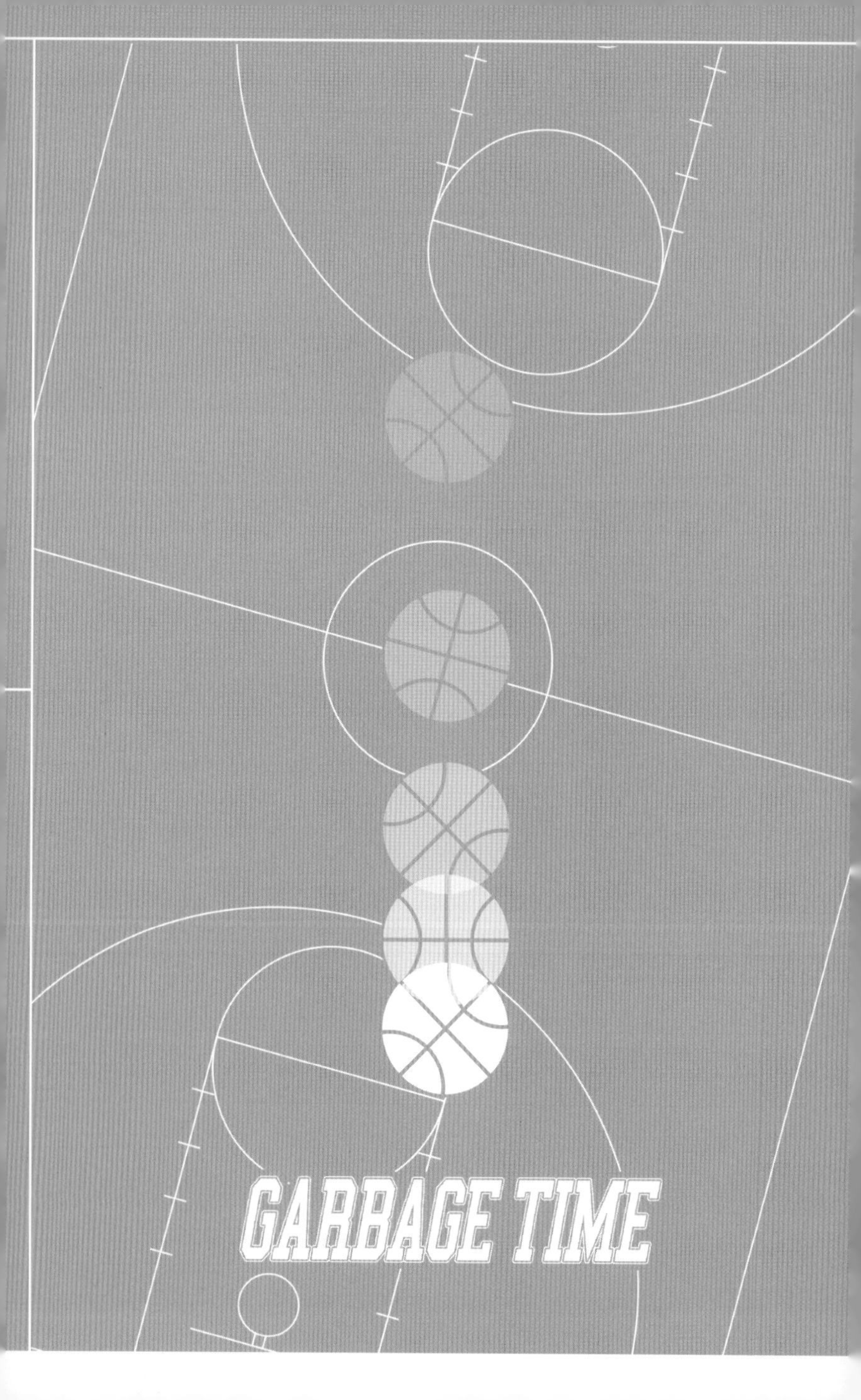
GARBAGE TIME

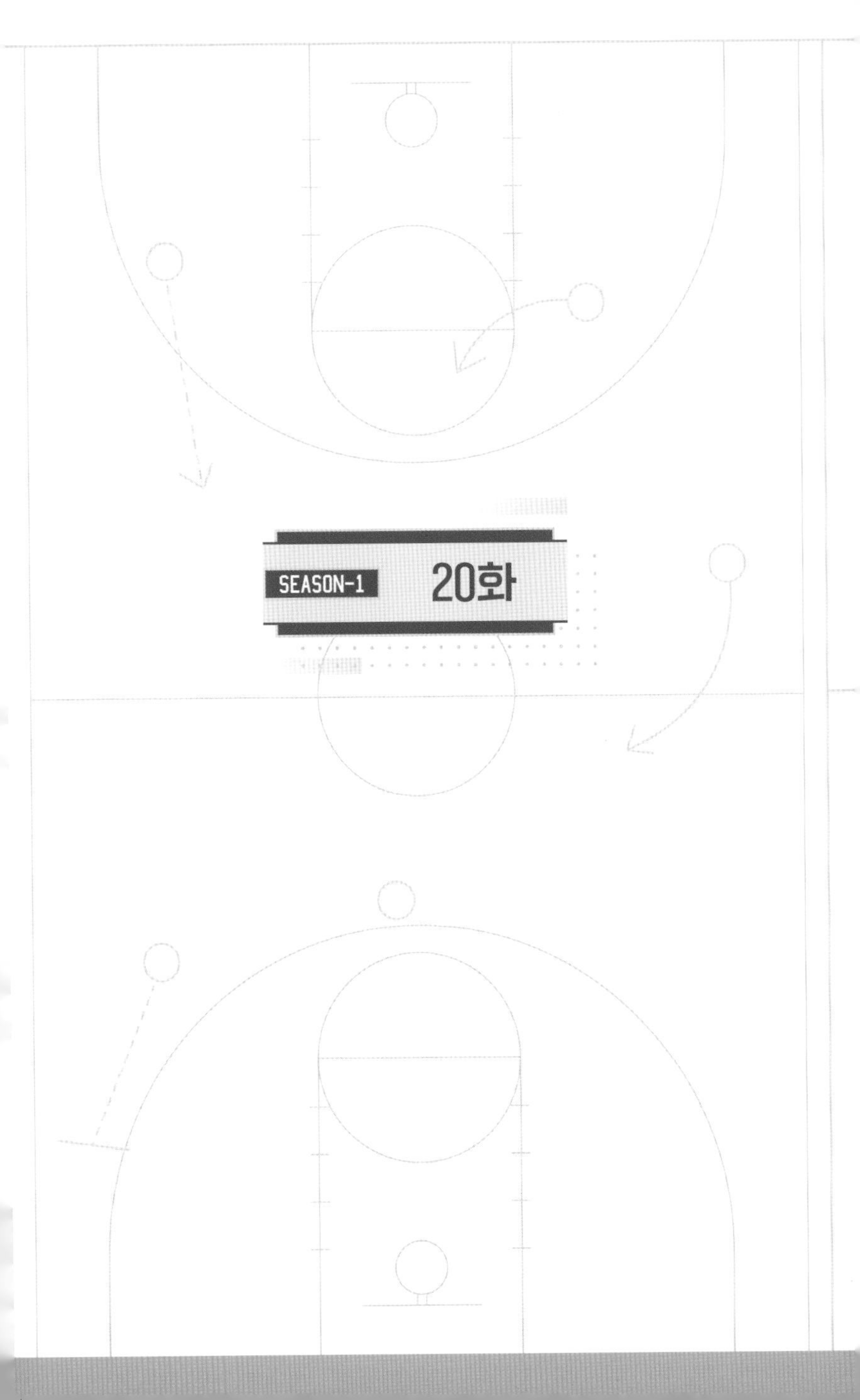
SEASON-1
20화

네!?
그게 무슨…
설마
부정 선수…?

아니,
그런 건 아니고
더 정확하게
표현하자면…

성 화이팅!
고등학교
5학년 정도?

21

저 엄지 싸인은
아직도 똑같은갑네.

네?
작전마다
기억하기 쉬우라고
이상한 이름이나
싸인 붙이는 거

저쪽 감독님이
참 좋아하셨거든요.
제가 요번에
만든 것들도
저분 따라 한 겁니다.
지각
쉿
저 엄지 싸인은
고등학생 때도 쓰던
'최고'라는
작전인 것 같은데
아직까지도 뭔지
기억이 납니다.
어떤 전술인지 아신다면
지금부터라도
대비할 수 있지 않을까요?
아뇨.
저건 미리 안다고
딱히 효과적으로 대처할 수
있는 게 아니어서….

?
……
현성아.
예?
농구 할 때
중요한 것들 세 가지.
그중 세 번째를
내가 뭐라고 그랬냐?
……
그것은…

간지입니다.
푸핫!
미치나 저거!?
푸하하하
낄낄
이 자식이 농담 따먹기나 하고 말야.
예의를 국에 말아 처먹었냐.
웃어?
세 번째는…

'승리하는 것'이다.

승리를 위해서 때로는
상대의 약점을 노릴
필요가 있다.
만약 내 매치업이
나한테 한주먹거리도
안 될 놈인 것 같다는
생각이 들 때엔
'내가 최고다!'
하면서 이렇게
엄지를 들어 올려라.
이 싸인이
어떤 작전이냐면…

그것은…
길 터줍시다~!
ISANG
23

*개인 기량이 월등히 뛰어난 선수가 일대일로 공격을 시도하는 것.

*대인방어.

그중 가장
단순한 방법.

매치업과의

실력 차이를
이용하는 것.

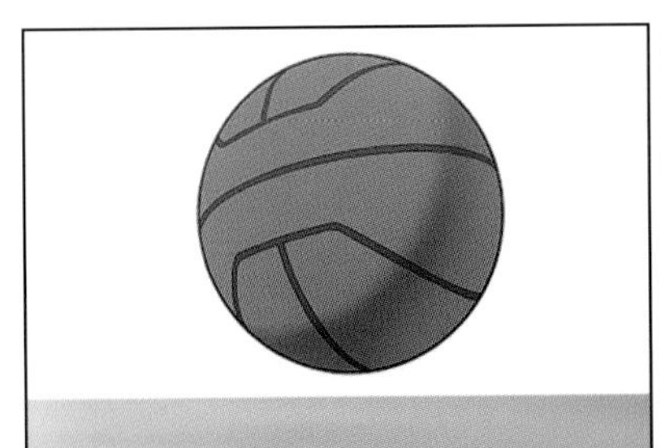

아앗!!!

크윽!

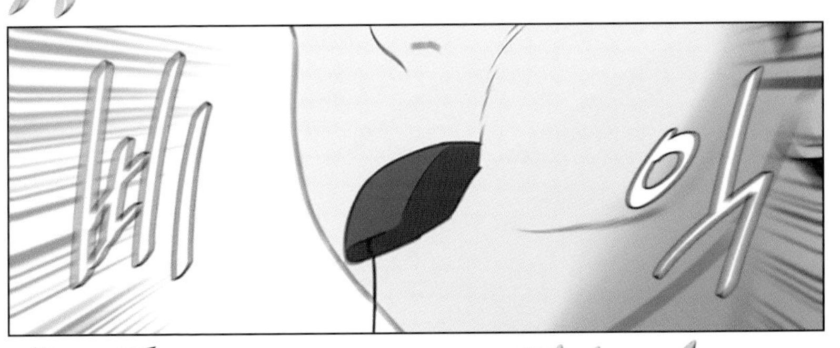

됐다!

바스켓카운트!!

04 : 01
지상고 조형고
1
18 : 8
오케이!
앤드원!

와…
상대가
안 되는데요?

지상고가 수비에서 뭔가 변화를 줘야 할 것 같은데….
지상고가 할 수 있는 건 지금 아무것도 없어.

수비 전술은 규정 때문에 바꿀 수도 없고
04 : 01
상고 조형
굿샷!
1
18 : 9
9점 차다!

21번을 막을 수 있을 만한 교체 선수도 없어.
6번 저 녀석은 방금 찾아보니 출전 기록 하나 없더군.
기량 미달이라는 거겠지.

그렇다면
21번한테 두 명을
붙이면 되겠군!

하지만
그렇게 한다면…

휘익

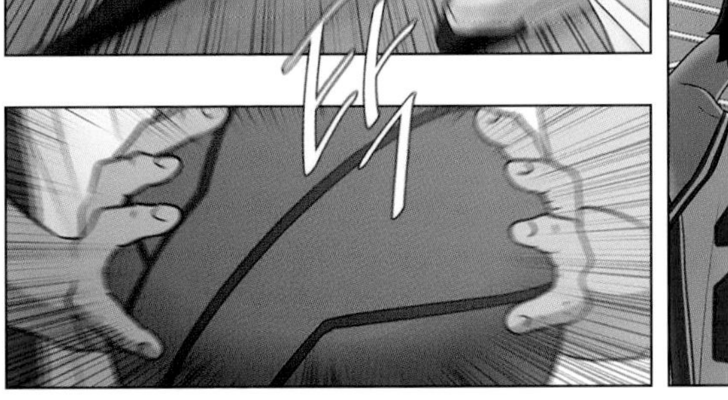
탁

바깥에 있는
슈터들에게
노마크 찬스가 나온다.

성 화이팅!
굿샷!
3점!
도움 수비를
가건 안 가건

트랩을 하건
안 하건
아 재유 햄
헬프 오지 마라니까요
햄이 22번 두고 오면
3점슛 맞는데…
뭐라노?
니가 자꾸 털리니까
도와주러 왔구만
수비를 벌리건
좁히건

결국 전부
3점슛을 맞느냐,
확률 높은 2점슛을
맞느냐의 차이일 뿐.

왼쪽 뺨을 맞든
오른쪽 뺨을 맞든
어차피 처맞는 건
똑같다.

젠장할….

쫌 전까지만 해도
별 볼 일 없는
포인트가드였던 22번이

21번이 드가고부터
원래 자기 역할로
돌아가서

이게 조형고의
본모습이라는
거겠지.

지상고 조형고
1
20 : 12

재의
학교 유희성 화이팅
투입되고부터 주구장창 아이솔레이션만 하는 거 보면

길게 쓸 생각은 아인 거 같은데.
저런 식으로는 1쿼터도 버티기 힘든지
02 : 14
지상고 조형고
1
20 : 15

반드시
분명히
어딘가에

약점이
있어야 돼.

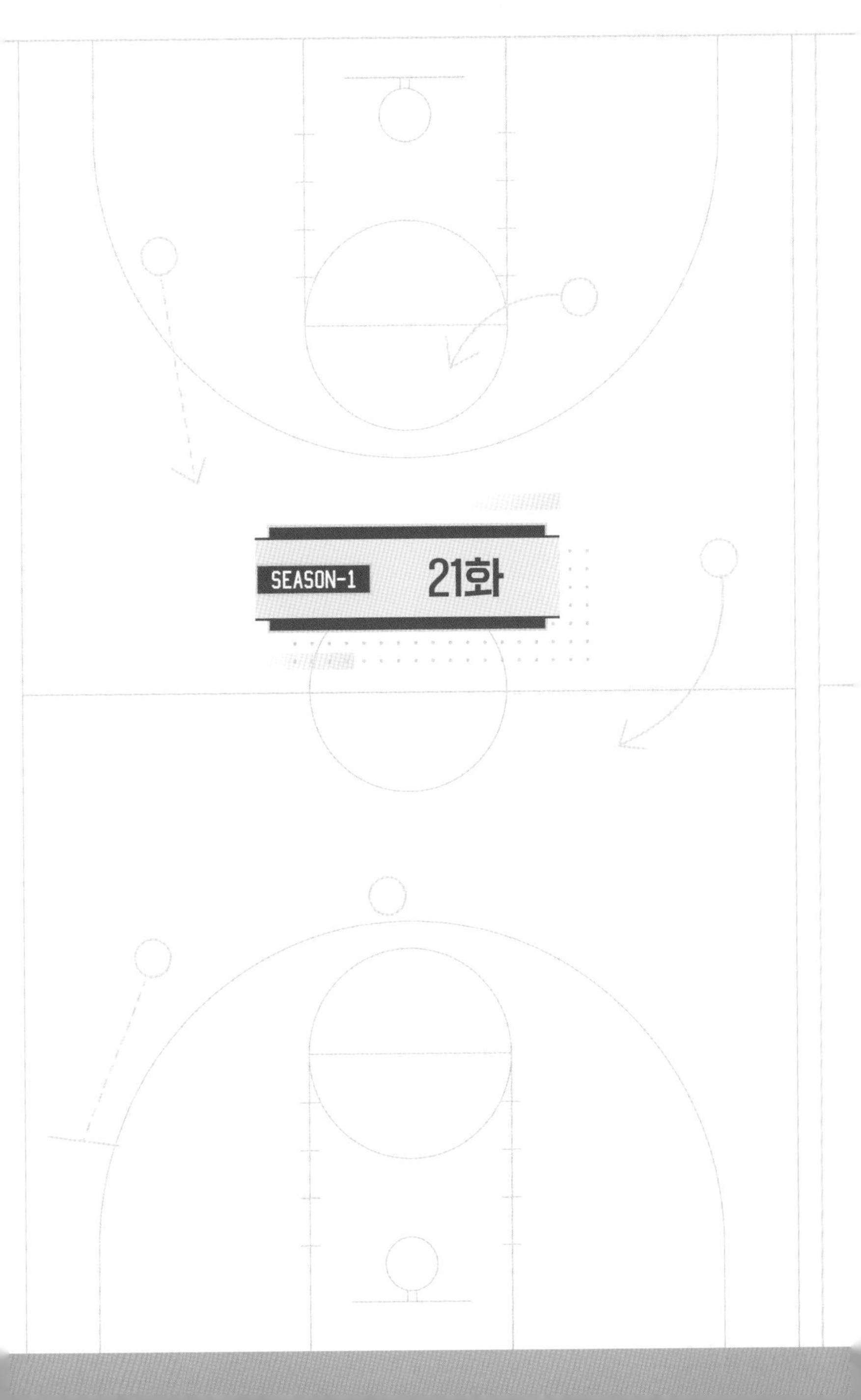
SEASON-1
21화

GARBAGE TIME

집중하자,
집중!
어차피
똑같은 고등학생,
정신만 차리면
못 막을 것도 없다.
재의중학교
아까부터 거의
왼쪽만 팠으니까
이번엔
슬슬 오른쪽으로
갈 법도 한데.

造形
21
통
통
홱
홱

타앙

그렇지!

제대로
막았다!

크윽!

뭐가 이렇게…

무겁냐고!?

20 대 17!
28
지상고 조형고
1
20 : 17
거의 다 따라잡았다!
하…

돌파 방향을 완벽하게 막아섰다고 생각했는데
워낙에 체급 차가 많이 나니 그냥 튕겨 나가뿟네.
전 가끔…
희찬이의 얇은 종아리를 볼 때마다

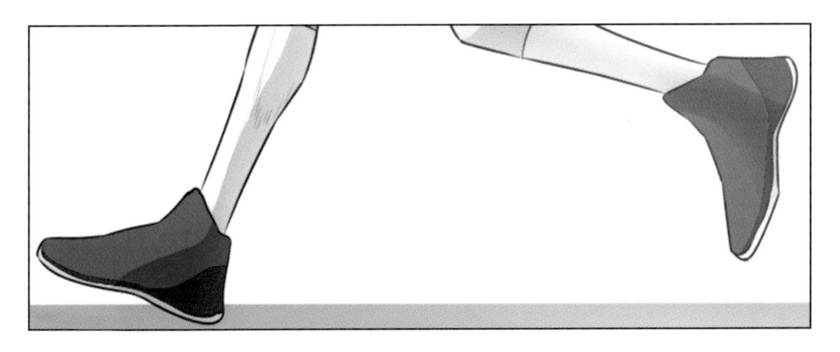

로우킥을 차고 싶다는 생각이 들어요.

차면 부러지려나.
……

인마는 어딘가 기분 나쁜 놈이다.
이게 그 싸이코패슨가 소시오패슨가 하는 그거냐?

그나저나…
이거 우야노?

21번이 들어오고 희차이가 점수를 내길 기대하는 건 힘들어졌지만은
애초에 희차이가 득점을 많이 하는 놈은 아니었으니 크게 문제 될 건 없지.

공격은 그럭저럭 잘되고 있다.
굿샷! 오늘 컨디션 좋은데?

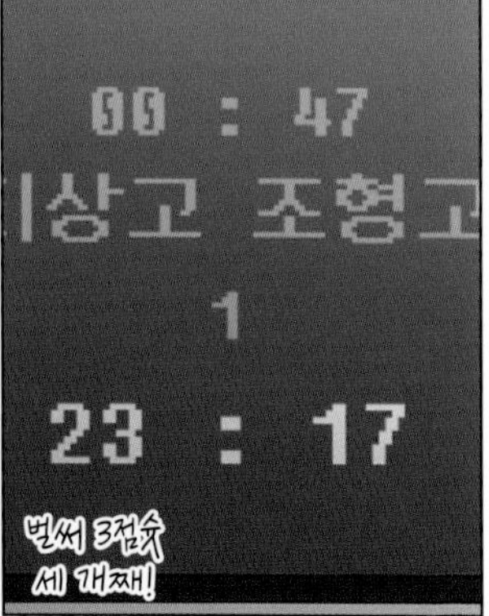
00 : 47
지상고 조형고
1
23 : 17
벌써 3점슛 세 개째!

문제는 수비.
00 : 21
지상고 조형고
1
23 : 17
쫓아오는 페이스가 너무 빠르다.

준수랑 크를 바꾸는 건 안 돼.
31
희차이니까 21번을 그 정도로 쫓을 수 있었던 거지
준수 사이드스텝 속도로는 어림도 없다.

그렇다고 희차이가 25번을 제대로 막는다는 보장도 없고.
183cm 말라깽이
190 떡대있음.
25
체격 차가 꽤 나.

3점 찬스를 주는 대신
21번에게 두 명을 붙이는 수밖에 없는 건가….
명운여고 농구부의 선전을 기원
명운여고 동문회 일동

유희성 화이
옘병…!

막아야 돼….
13

재의중학교
막아야 돼!

또 뚫었다!
크윽!!

파울!
파울이요!

아니 멍청아, 뭐 해!?
삐익
급한 대로 파울로 끊는 수밖엔….
?

*한 개의 피리어드(쿼터)에서 팀이 파울을 네 개 범했을 때 그 팀은 팀 파울 벌칙 상태에 있게 되며, 다섯 개째 파울부터는 슈팅 동작 여부와 관계없이 자유투 2구가 주어진다.

젠장.
파울도
파울인데…

JISANG
시작부터
풀코트 수비

21
그 뒤로
계속되는 일대일
전담 마크 때문에

아이씨….
JISANG
13
희차이가 많이
지친 상태다.

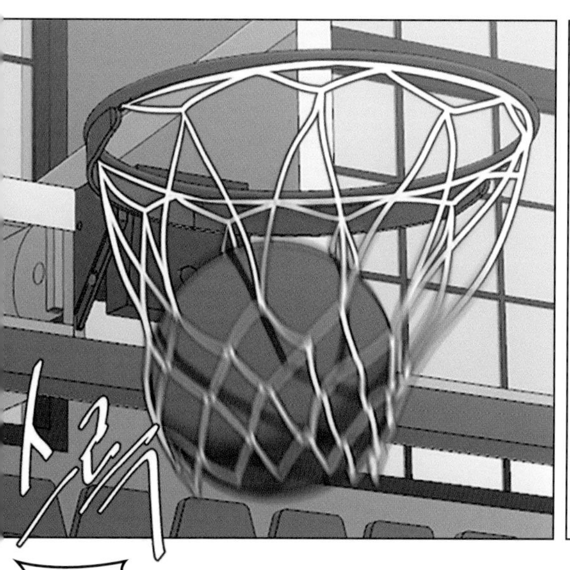

오케이!

굿샷!
자유투 두 개 성공!
지상고
23 : 19
시간 없어요!
바로 던지셈!

1쿼터
종료
00 : 00
지상고 조형고
1
23 : 19
와…
조형고 21번
보면 볼수록
대단한데요?

투입되고
5분 정도 만에
사실상
자기 혼자 힘으로
15점 차를 4점 차로
줄였어요.

아무리 고교 농구의
실력 편차가
심하다 해도
저렇게 계속
아이솔레이션을 하는 롤을
수행할 수 있는 선수는
흔하지 않아요.
어쩌면…

지금 고교 랭킹 1위로 평가받는 그 녀석보다 좋은 가드일지도 몰라요.

21번도 대단하지만
저렇게 개인 능력을 활용한 농구를 하게 해주는

조형고 감독님도 보통 배짱은 아니군.

…
배짱이 아니라

믿음인가.

그나저나…
지상고 벤치는 조용하네요. 상황이 이렇게 안 좋은데도.

할 말이 없는 거겠지.

감독 바뀐 지 한 달 된 거치곤 나름 괜찮게 했어.
지상고 애들도 지들 능력 안에서 할 만큼 했고.
00 : 00
지상고 조형고
1
23 : 19

지금의 추격은 그저
매치업 간의 실력 차이 때문.
JISANG
13
해줄 말이 없는 게 당연해.

…
희차이.
예?
괘안나?
다친 덴
없는데요?

아니, 내는
니 멘탈이 제일
걱정이다.
걱정 마세요.
정희찬 멘탈은
세계 최고 수준이거든요.
그냥 못해서
못 막는 거예요.
말이
심하시네.
그렇담
다행이고.

……

…
얘들아, 리바운드
적극적으로 하고…
또…
턴오버
조심하고.
예.

……

기성우.
……

예?
저요?

저 근데
성우가 아니라
상호…
암튼 간에.
흔한 이름이라
헷갈린다고

희차이랑
교체다.
JISANG
31
JISANG
13

?!?

네???

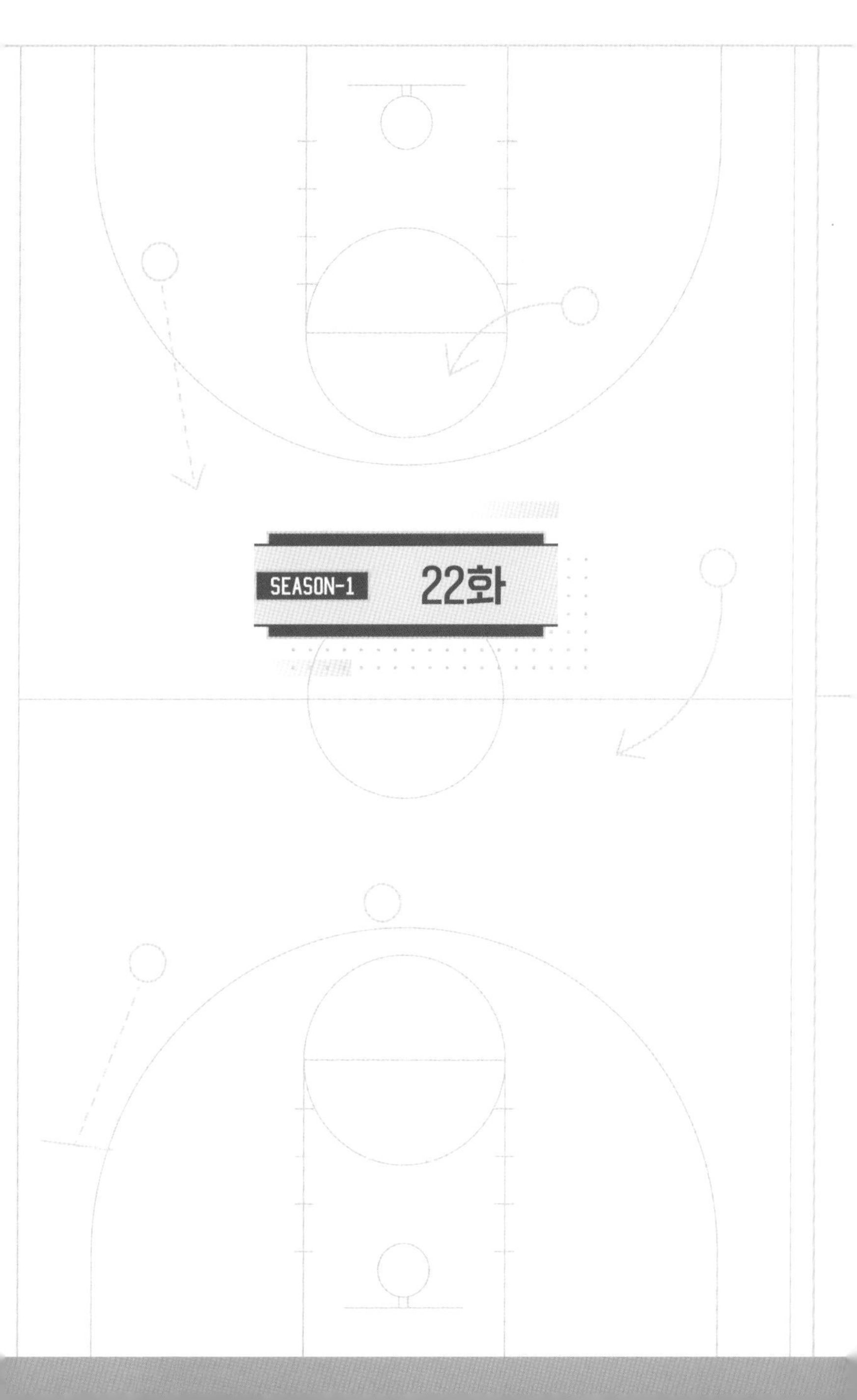
SEASON-1
22화

GARBAGE TIME

이리 와봐라.
코트에 나가면 일단 첫 번째.
슛 찬스가 왔을 때 우물쭈물 망설이지 말고 자신 있게 떤지래이.

쟤들은 니가 슛이 서툰 걸 모를 테니까 자신 있게 떤지는 모습만 보여주면 한두 번 안 드간다고 글케 쉽게 니를 버려두진 않을 기다.
특히 니는 슛폼이 그럴듯 하니까 더더욱.

운 좋게 한두 개 드가면 최고긴 한데…
만약 그런 일이 생기면은 어예 해야겠노?

…네?
네? 가
아이고,

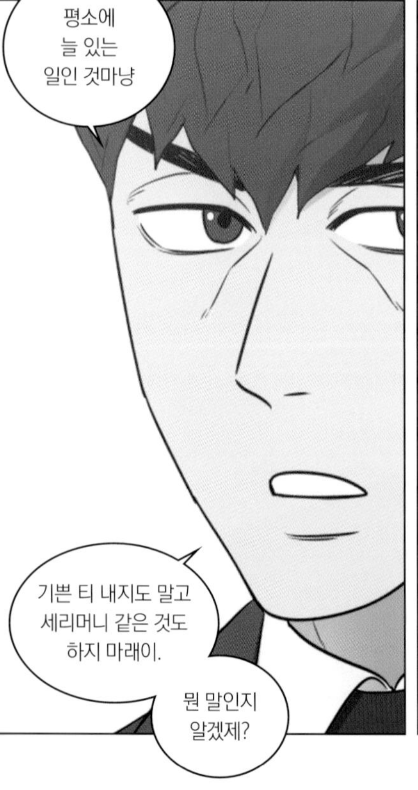
평소에
늘 있는
일인 것마냥
기쁜 티 내지도 말고
세리머니 같은 것도
하지 마래이.
뭔 말인지
알겠제?

…네.

반대로,
안 드가도
평소엔
잘 넣는데 오늘만
안 되는 척.
오케이?
네.

그리고
두 번째.

21번을
막아줘.

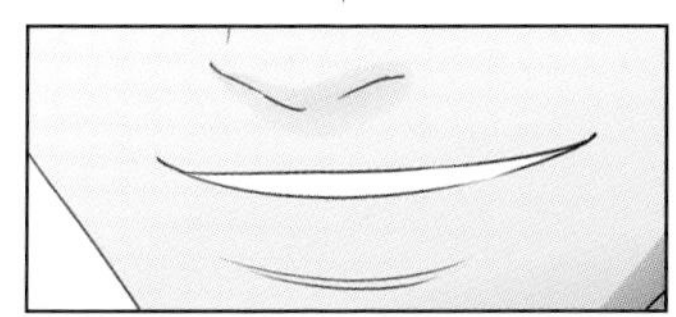
만약 니 혼자서
21번을 막아낼 수 있다면
그때는…

수비에서 2인분
해주는 거나
마찬가진 기라.
어떨노?
할 수 있겠나?

저…
솔직히 힘들 것 같은데요….

아니, 어린 노무 짜슥이 이래 패기가 없어가꼬 어데 쓰노!?
못 할 것 같아도 할 수 있다 해야지!
하… 할 수 있을 것 같아요!

리번-너무 잘해요

에휴…
니 내가 처음 만났을 때 알려줬던 거 기억하나?

……
머리가 있으면 생각을 해라.
상대가 뭘 잘하고 뭘 못하는지.

뭘 좋아하고 뭘…
그래그래.
기억력하난 좋네
그대로만 하면 못 할 게 뭐 있노?

ISANG
프로 선수
공도 뺏어봤으면서.

나오세요!
명운여고 농구부의

힐끗

에휴
X발.
사랑과 희망
복도시
의료지원

게임
던지자는 것도
아니고….

준수 햄 너무 신경 쓰지 마래이.
니는 니 할 것만 잘하면 된다.
잘되겠나?

당연하지!
어제 내 꿈자리가 좋았거든!

그놈의 꿈 타령은 염병.
사랑과 희망의 행복도
우와 후보 선수다!
X나 대전 꿈돌이세요?

…
그건 그렇고 21번은 쫌 어떻노?
기본적으로 돌파가 우선이긴 한데
아까 조금 떨어져서 수비하려니까 바로 3점 꽂더라고.

자유투도 지금까지
한 개도 안 놓친 거 보면
대놓고 새깅할 수 있는
수준은 아인 거 같다.
두 명 붙을라 치면
바로바로 빈 곳 찾아서
귀신같이 패스 빼주고…

발도 엄청 빠르고
힘도 엄청 세고….
하…
그 정도면

거의 약점이
없는 수준 아이가?

통
통

통
통

일단은
돌파가
우선…

타앙

헉!?

빠세잇!!
파앙

아자!!

삑
자유투다!

아놔….
휴.

와…
아무 속임 동작 없이 그냥 가속했을 뿐인데 이래 쉽게 뚫리나….

바로 앞에서 보니까
造形
21
벤치에서 볼 때보다 훨씬 빠르게 느껴진다.

감독님.

저…

아,
아닙니다.
……

상호 때문에
그러시죠?

아, 아니
그냥 좀…
걱정이
돼서요.

대회 1주 전부터
상호한테 하루 종일
슈팅 연습만
시키긴 했는데
그다지 늘지도
않았고
그 정도 해서 늘 거였으면
전 세계 선수들이 전부
슈터가 될 수 있었겠죠
희찬이도 슛이 좋은 건
아니지만 그래도 상호처럼
버려지는 수준은
아니거든요.
그렇다고
상호가 희찬이보다
디펜스가 좋은 것도
아니라서…
사실 조금
불안합니다.

……
확실히
희차이보다
공격력이 부족한 건
사실이지만
저는…

수비는 점마가
더 뛰어나다고
생각합니다.
JISANG
23
6

…?

물론 저도
지푸라기 잡는
심정이긴 합니다.
21번을 완벽히
틀어막을 수 있을 거라는
기대는 애초에 없거든요.
그래도
어쩌면…

21번이
지칠 때까지

굿샷!
추격을
늦춰주는 건
가능할지도
모릅니다.
두 개 전부
성공했다!
09 : 48
지상고 조형고
2
23 : 21

제 생각이 맞다면
점마는 쫌…
영운여고 농구부의
원합니다.
음…
뭐라 해야 되노?

아!

쫌 변태 같은 면이
있다 하면 되나?
하나!

하나만 막자!

……

이 녀석은…

출전 기록이
하나도 없던 녀석.
조금 찝찝하긴
하지만

경계하지 않아도
괜찮겠지.

처음부터
놔둔다고!?
파성여중 농구부
타
악
휙
왜 하필
쟤한테 패스를…!
이 상황에서
안 주면 오히려
이상하다고!

그동안
슛 연습 죽어라
했으니까…!
제발
딱 한 번만…!
들어가라…!

GARBAGE TIME

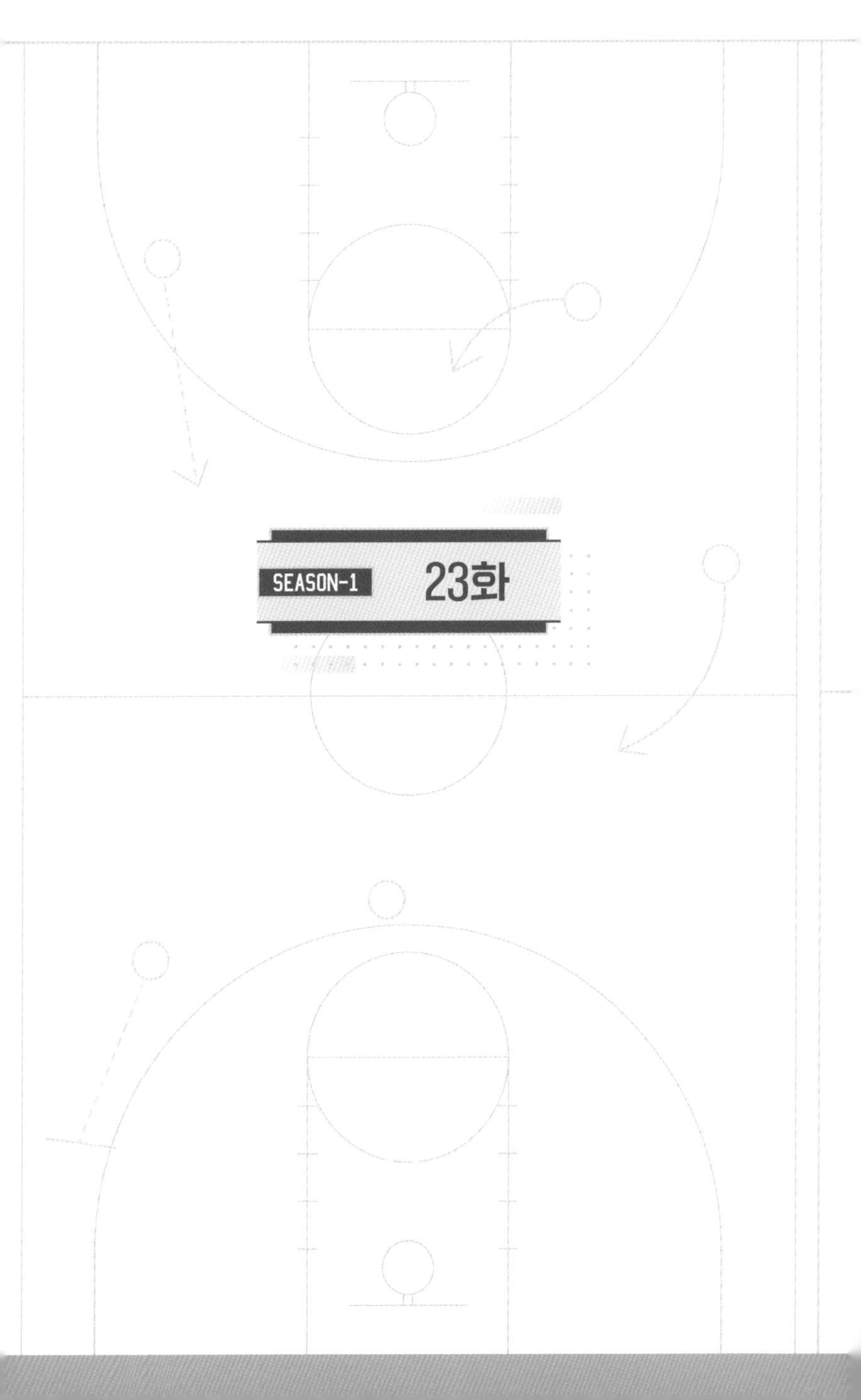

SEASON-1 23화

GARBAGE TIME

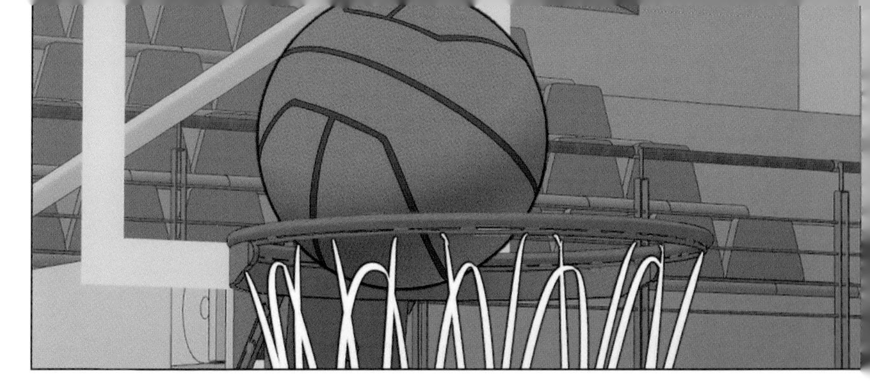

비잉~
아!
까비!

아~ 평소엔 이런 노마크 찬스 한 개도 안 놓치는데 오늘은 좀 안 드가네. 컨디션이 안 좋은가?
오바하지 마라, 멍청아…!

리바!

JISANG
7
15
나이스!

JISANG
바로 올려!

아앗!

JISANG
노마크다!

왜 또
재한테…!

우물쭈물거리지
말고…

떤지라고!

통

상고 조형
2
26 : 21

우오오…!
기상호 공식전
데뷔 첫 득…
헙…!

아아—
이런 건 평소에
그물도 안 스치고
드가는데
오늘은 컨디션이
그저 그렇네.
JISANG
6
교통과 예술의
JISANG
7

……

병찬이 형!

재의중학
6번한테서
떨어지면 안 돼요.

왜??
이제 겨우
두 개 던져서
하나 들어간
것뿐인데…

우리 팀
최고의 슈터로서
말하는 건데
아뇨.

저 녀석은
슈터예요.
저는 던지는
폼만 봐도
알 수 있거든요.

그리고 쟤,
아까 13번보다
수비가 허술하지
않아요?
확실히 13번만큼
빠르진 않아서
더 쉬운 것 같아.
그죠?

쟤는 분명
어차피
형을 당해내는 건
힘들겠다 판단하고
공격을
강화하려는 의도로
교체된 것 같아요.
어때요?
후훗

제 말이
맞죠?
앗싸 뽀록
터졌다
짝
짝

6번…
왜
교체 투입된 걸까요?
13번이 파울이 많아서
그런가?
슛이 좋은가…?

아니면 21번을
막으려고?
글쎄….

21
6
어차피

21번을 혼자
상대할 수 있는
고등학생은…

전국에 한 명
있을까 말까
할 거 같은데.

나이스~!

지상고 조형고
2
26 : 23

하… 씨.
아무리 생각해봐도

도저히 막을 수 있을 것 같지가 않다고!
탁

이래서야
희차이가 막을 때랑
다를 바가 없는데…

그나마
다행인 건

방금 전
하늘이 도와준
덕분에

오히려
희차이가
있을 때보다

승

코트가 더
넓어졌다.

탕
탁

나이스!
지상고 조형고
2
28 : 23

감독님 설마
이걸 예상하신 건가요?

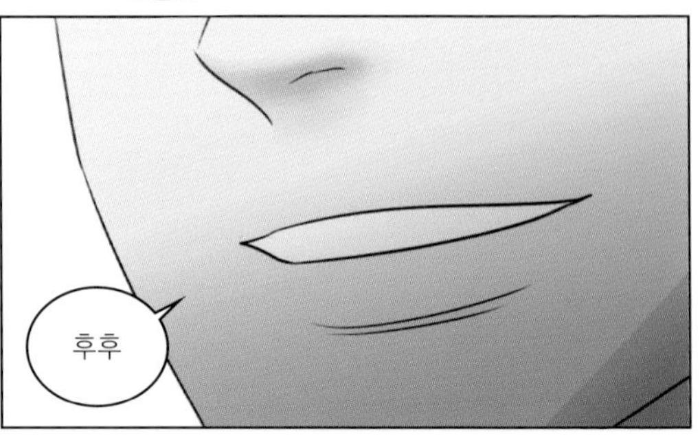
후후

당연하죠.
아뇨.
뽀록입니다.
한 골 넣었다고 설마 이 정도로 밀착 마크해줄 줄은…

자, 이제…

21번을 조금이라도 방해할 수 있다면

더 바랄 게
없다.
JISAN
6
재의중학교
……

죄송해요,
감독님.

한 걸음
움직일 때마다
실수하고 사고 치는 걸
바라신다면

누구보다
잘해낼 자신
있는데….

……

부럽다.

나도
이 사람처럼

기대받았던
만큼

보여주고
싶었는데…!!

못 할 게
뭐 있노?

프로 선수 공도
뺏어봤으면서.

파울이다!
아까비!

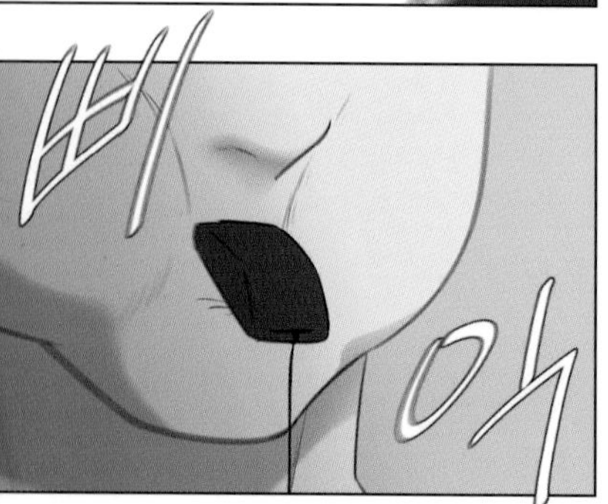
삐
익

휴….

어쩌면

조금은
UGANG
막을 수 있을지도
모르겠는데.

GARBAGE TIME

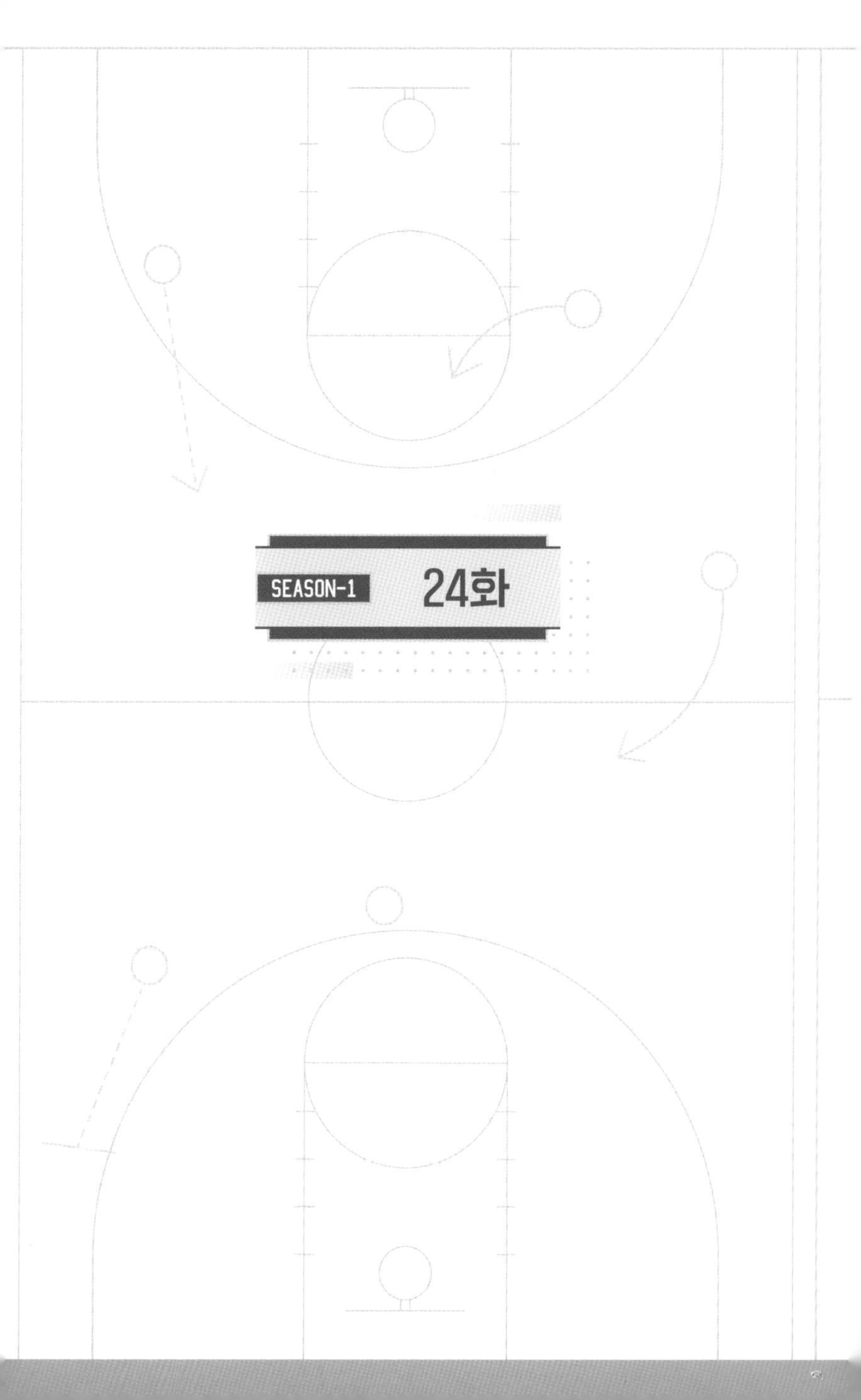
SEASON-1
24화

GARBAGE TIME

머리가 있으면 생각을 해라.
상대가 뭘 잘하고 뭘 못하는지
뭘 좋아하고 뭘 싫어하는지

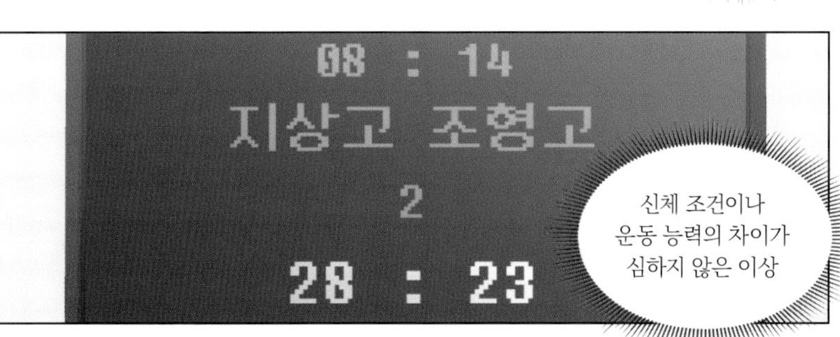
08 : 14
지상고 조형고
2
28 : 23
신체 조건이나 운동 능력의 차이가 심하지 않은 이상

농구는 수 싸움인 기라.
JISAN
6
21

운동 능력 차이는 좀 있는 거 같은데…

아무튼 간에
내 생각이 맞다면…

이번에도 분명

타
똑같이
움직인ㄷ…

크헉!

삐
이

造形
21

쏴아
오케이 바스켓…

공격자
반칙

……!

이요올~
기상호
웬일임!?
우리 몰래
도핑했음?
인마 오늘
뽀록
지대로네.
JISANG
7
23
JISANG
6

비록
아니에요.
형들이
쫌만 도와주면

21번
21
지금까지
페이스의 절반 수준으로
막을 수 있어요.

…
대체
어떻게….

이제야

뭔가
알아낸 게
있나보구만.

제가
말씀드렸죠?
점마는
어딘가 변태 같은
면이 있다고.

처음 동네 코트서
만났을 때부터
느낀 건데
점마는…

남을 유심히
관찰하는 습관이
있는 것 같더라고요.

제가
왼손잡이라는 건
아

뭐고?
와 왼손으로
처묵는데?
현서이 니
왼손잡이가?
그걸 이제
알았나?
게눈깔이가?
숏은 와
오른손으로
하는데?
어렸을 때
다들 오른손으로 하길래
왼손으로 떤지면
반칙인 줄 알고….
이 완전
팀원들도 잘
못 알아보던 건데

점마는 그걸

만난 지 10분도
안 돼서
알아차렸습니다.

저도 아직
자세히는
모르겠지만
지금도 뭔가
알아낸 것 같네요.

21번의

약점을.
造
形
21
JISAN
6
21

뺏었다!

속공!

오케이!

나이스!

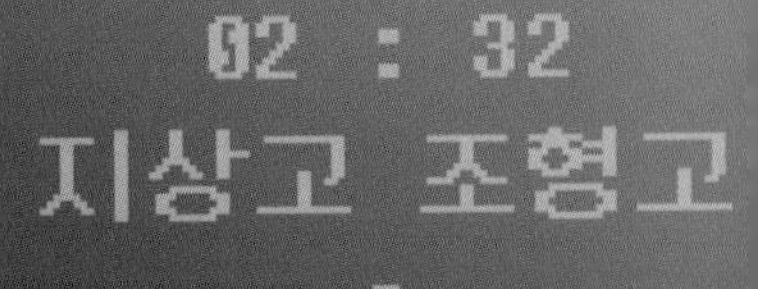
02 : 32
지상고 조형고
2
37 : 32

의중학
갑자기 왜 이러지?
이 녀석은 분명 13번만큼 빠르지도 않은데

훨씬
뚫고 가기
힘든 느낌이야.

드리블 리듬이
너무 단조로웠나?
통
통

티잉
뚫었다!

형들

혹시 제가
뚫리고 21번이
골 밑으로
들어오면
형들 마크는
제가 최대한 빨리
커버할 테니까…
온 힘을 다해
뛰어줘요.

앗!!
나이스 블락!
공 나갔다!
젠장…
왜 자꾸….

Time OUT
크흠.

타임아웃!

박병찬.

교체할 틈이
안 생기는 바람에
12분하고도
몇 분 더 지났어.
오늘 시간
오비한 만큼
다음 경기에서 뺀다.
알고 있지?

…
네.
역전을 못 한 건 아쉽지만 충분히 잘해줬어.

나머진 동생들한테 맡겨라.
고생했어.

이야~
잘했다, 기상호.

컥
???

상호!
니 21번은
어예 막은 거고?
아 맞다!
감독님!
21번…
다리가
아픈 거 같아요.

GARBAGE TIME

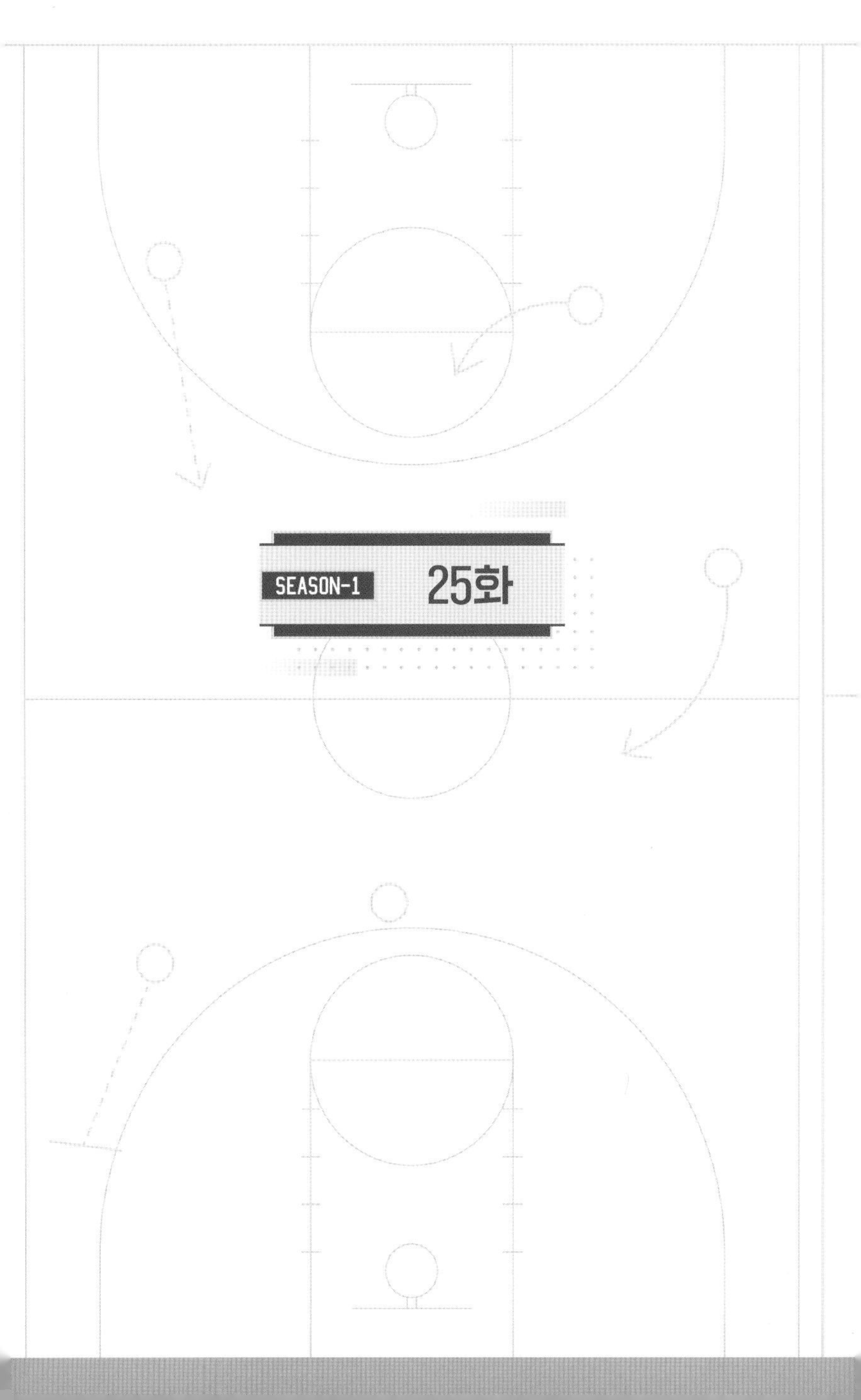

SEASON-1 25화

GARBAGE TIME

다리?
그걸 어떻게….

아니, 그니까 어예 막았냐고?
아 쫌 들어봐라!
만약에 21번이 왼쪽으로 돌파를 시작하고

JISANG 6
21
JISANG 7
21
JISANG 6
그게 막힌다거나 다른 수비가 도우러 오면

아니면 제일
짜증 나는
유로스텝이라든지

그냥 멈춰서
점프슛

그대로 수비한테
들이받고 자유투
얻어내기 같은

왼쪽 돌파에
비하면 훨씬 단순하고
확률 낮은
공격뿐이에요.

그래서 아까부터
그렇게

JISAN
6

JISAN
6
23

造 形
21

JISAN
6
21

왼쪽을
잘라두고
있었구만.

근데 그게
다리 아픈 거랑
상관있나?
또 알고 보니
왼손잡이 이런 거
아이가?
아이다.
걍 오른손잡이
맞다.

명운여고 농구부의 선전
근데 와
오른쪽을 더
못하는 긴데?
방향 전환이
안 되니까.

왼쪽에서 오른쪽으로
꺾을 땐 왼쪽 다리에
더 큰 부하가 걸리고
오른쪽에서
왼쪽으로 꺾을 땐
반대로 오른쪽 다리에
더 부담이 간다.
오른쪽 다리가
아프기 때문에
오른쪽 돌파가
더 단순하다
이 말이제?
네.
맞아요.
그런데
이상하네.

계속 똑같이 막혔다면 다른 공격 방법을 시도할 만도 한데.
아무래도 자기도 의식 못 하고 있는 거 같아요.

본능적으로 오른쪽 다리를 아끼고 있다는 걸.

좋아! 이제 내도 똑같이 해서 막을 수 있겠는데?
뭐라노, 이쑤시개가.
JISANG
JISA
님은 돌파 막아도 포스트업당할 거잖씀.

어?
근데 21번…
교체되려나
본데요?

오케이.
다시 점수 차
벌려놓을 찬스다!
희차이
드가고.

예!
재유는 22번
더 쪼아줘라.
볼 간수가 안 되는
놈이니까는.
예!

04 : 55
지상고 조형고
3
54 : 45

병찬이.
예?

위에 옷 좀 입고 있어라.
오늘따라 에어컨 바람이 차다.

……

몇 분 뛰어보니까 점점 아파오지?
뛰는 것만 봐도 알아.
내가 널 몇 년 동안 봤는데.
움직임이 둔해졌어.

…오늘 다시 뛸 일은 없을 거다.
아쉬워도 어쩔 수 없어.
…네.

……

병찬이를 처음 본 건

역전이다!

02 : 23
부연중 강문중
3
53 : 52

가장 가파르게
몸이 성장하는
중학교 시기.

그 사이에서 키가 특별히 큰 것도 아닌 2학년 가드가
부연중 21번 대단한데?
33점째야!
오로지 스피드와 기술만으로
Time OUT
주득점원으로 활약했으니 말 다 했지.
강문중 타임아웃!

얘들아, 잘하고 있어!
이대로만 가면 우승이다! 조금만 힘내자!
예.

…쌤.

저… 오른쪽
무릎이 좀
아파요.
그런데
가끔은
……
그 재능을
병찬아.

운동하면서
그 정도 안 아픈
사람이 어디 있냐?
부연
21
나만 알았으면
어땠을까 하는
생각이 들어.
엄살 부리지
말고 조금만 참아.
시간 얼마 안 남았으니까.

운동하려면
그 정도 정신력은
있어야지.
네….
그리고 그날
병찬이는
치명적인
부상을 입고
말았다.

병찬이의 부상은
어찌 보면
당연한 일이었다.
병찬이처럼
농구 하는 애들을
요새 애들 말로
뭐라 하더라?
그래,
슬래셔.
좌우로 격렬하게
움직여서
수비를 찢고

온 힘을 다해
뛰어올라
공중에서 부딪혀
자유투를
얻어낸 다음

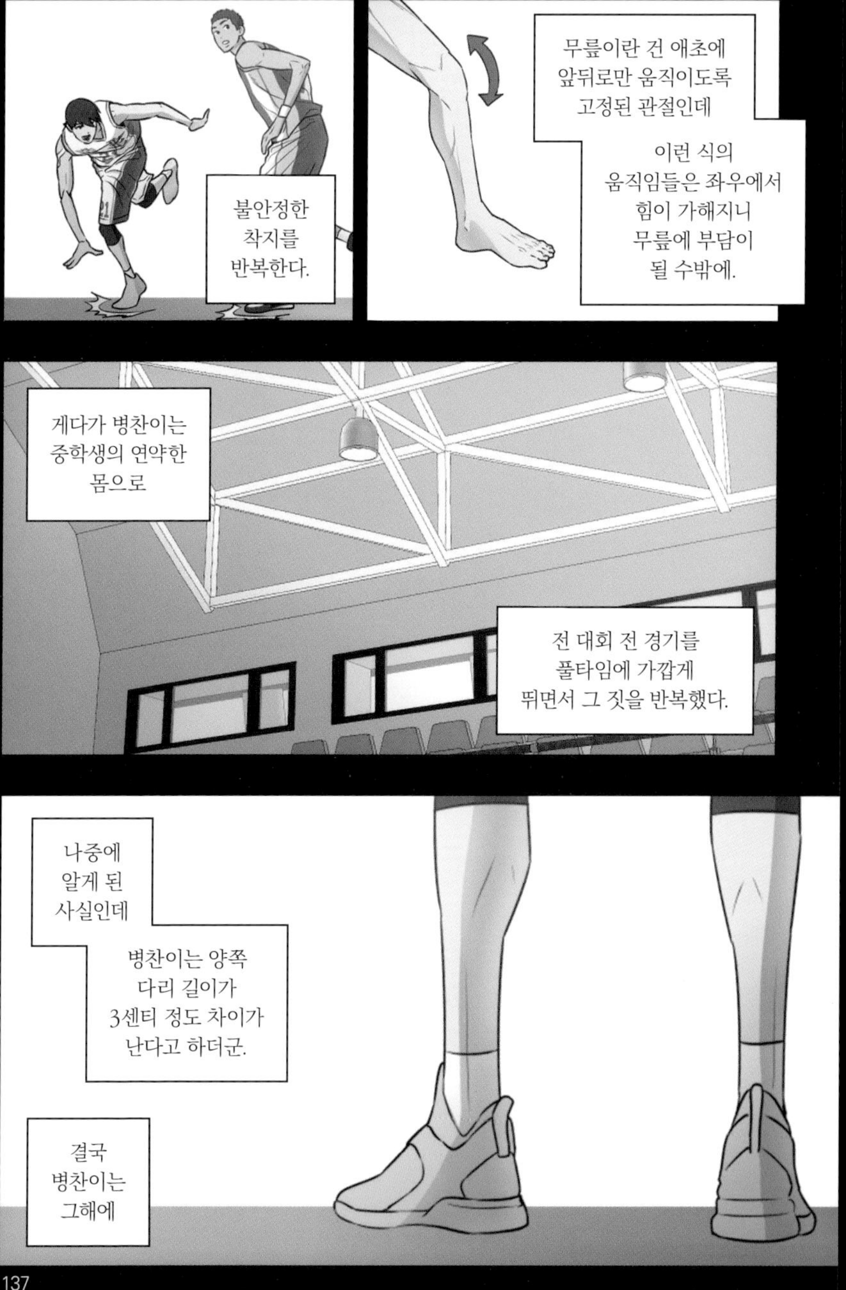
불안정한
착지를
반복한다.
무릎이란 건 애초에
앞뒤로만 움직이도록
고정된 관절인데
이런 식의
움직임들은 좌우에서
힘이 가해지니
무릎에 부담이
될 수밖에.
게다가 병찬이는
중학생의 연약한
몸으로
전 대회 전 경기를
풀타임에 가깝게
뛰면서 그 짓을 반복했다.
나중에
알게 된
사실인데
병찬이는 양쪽
다리 길이가
3센티 정도 차이가
난다고 하더군.
결국
병찬이는
그해에

농구를
그만두기로
결정했다.

치료와 학업에
집중하기 위해
다른 학교로 전학을 가려니
갑자기 부연중학교에서
거부했다더군.
병찬이 같은
인재를 포기할 수
없다는 이유였다.
실랑이 끝에
부연중학교는
각서를 하나
쓰는 것을 조건으로
병찬이의 전학을
허가했다.

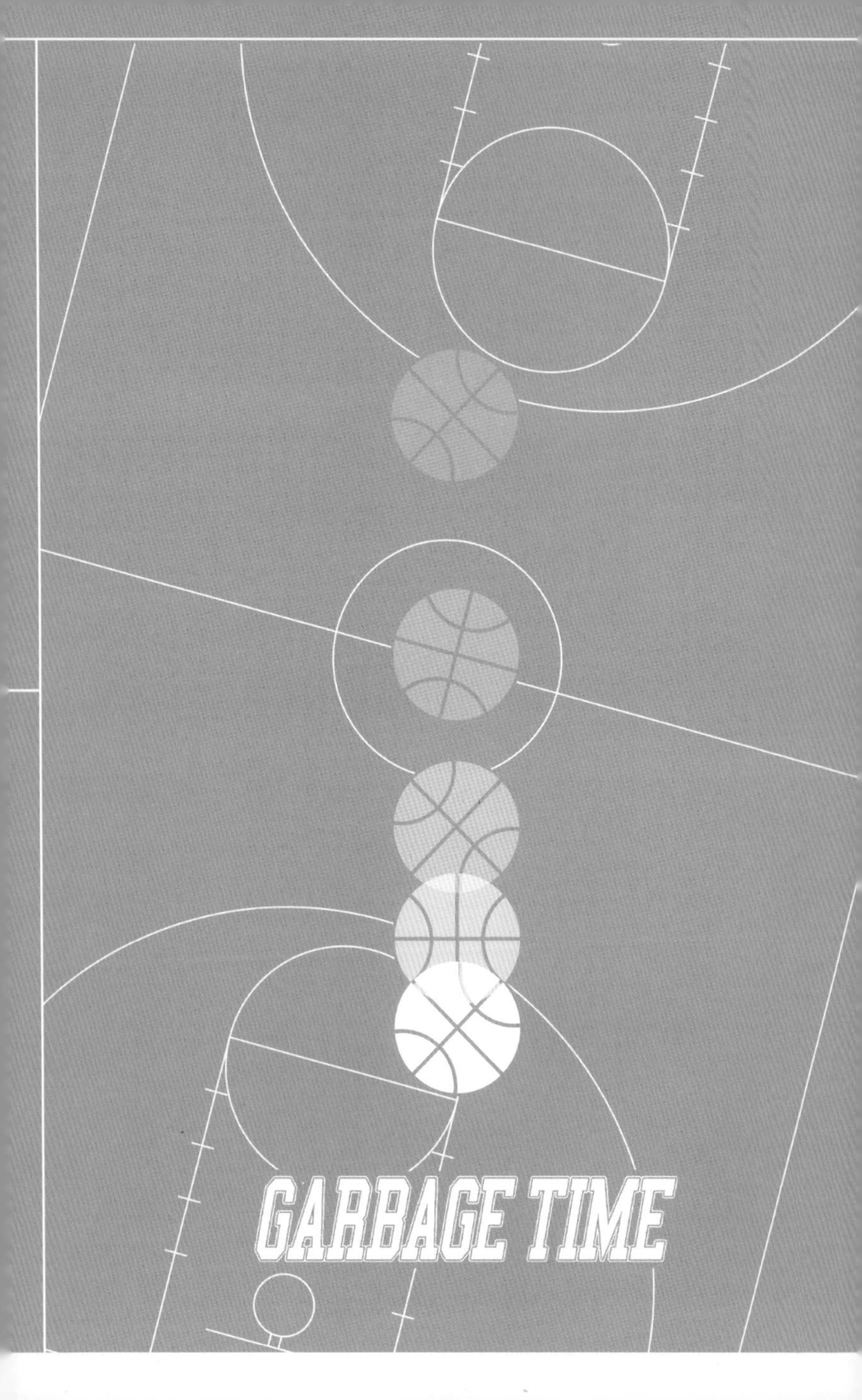
GARBAGE TIME

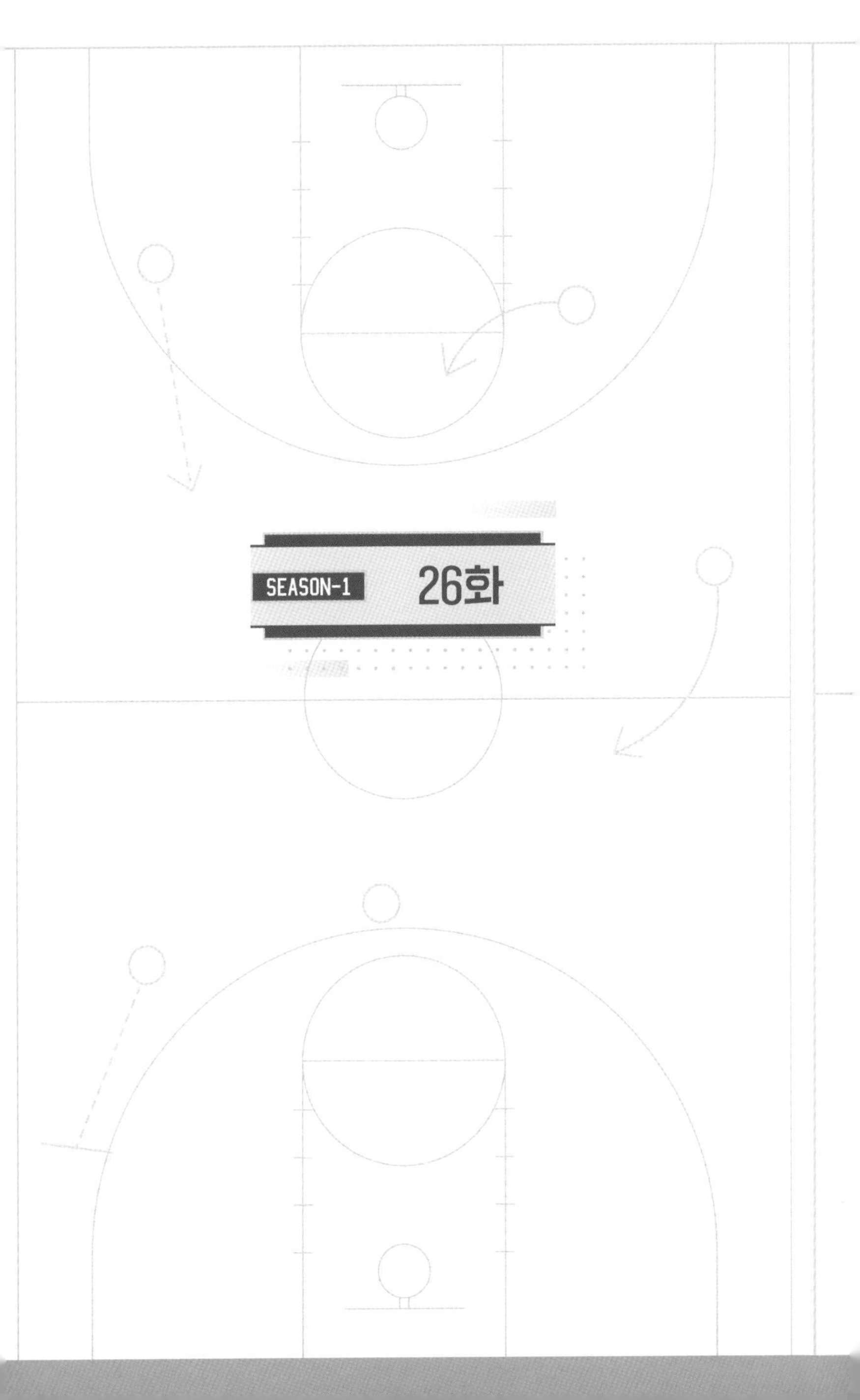

SEASON-1 26화

GARBAGE TIME

다시는 농구를
하지 않는 것이었다.

부연중학교는
병찬이가 혹시라도
회복한 후에
위협적인 적이 되는
상황이 올까봐
두려웠던 거지.

당시에는
병찬이와 가족들도
다시는 농구를 할 수
없을 거라 생각해서
큰 고민 없이 그 조건을
받아들였다.

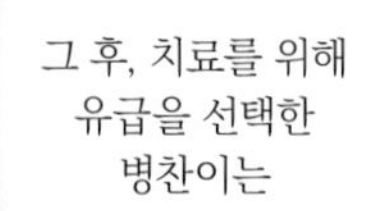
그 후, 치료를 위해
유급을 선택한
병찬이는
다른 아이들보다
1년 늦게
고등학생이 됐다.
농구는 더 이상
할 수 없을 거라 생각하고
학업에 집중하기 위해
가까운 고등학교로
진학했는데

수술과 재활이 예상 외로
성공적이다보니
슬슬 미련이 생기기
시작했다더군.

병찬이가
운이 좋았지.
병찬이가
고등학생이 된
그해,

造形
造形
딱 맞춰
학교에 농구부가
생겼거든.

그때부터 다시
농구를 하게 된
병찬이에게
누구보다
성실하고
공백 기간은 크게
문제가 되지 않았다.
누구보다
농구를 좋아하는
녀석이었으니까.

적응이 끝난 무렵
병찬이를 대회에
내보내려 하니
예상치도
못한 문제가
앞길을 가로막았다.
병찬이에게
대회 참가 자격이
없었던 것.

그 애들 장난마냥
급조된 각서에
무슨 효력이 있었는지

너무 걱정하지
마라.

그 일은 내가
어떻게든 해결할 테니까
너는 그냥 운동만
열심히 하면 돼.
…네.

긁적
…내가 그동안
가르친 애들만
중대 규모는 되는데
덕분에 이제는
보자마자 어느 정도
올라갈지가
대충은 보여.

이 녀석은 대학까지는 가겠구나
이 녀석은 프로까지 가겠구나 이런 거.
병찬이 너한테는
국가대표 가드가 되는 미래가 보여.
내가 가르쳤던 녀석들 중에 단연 최고다.

그뿐인 줄 아냐?
얼굴도 이쁘장하니 인기도 많겠고,
고액 연봉까지!
하핫! 정말요?
그럼 당연하지!
손만 뻗으면 닿을 거리에 있어.
그러니까…

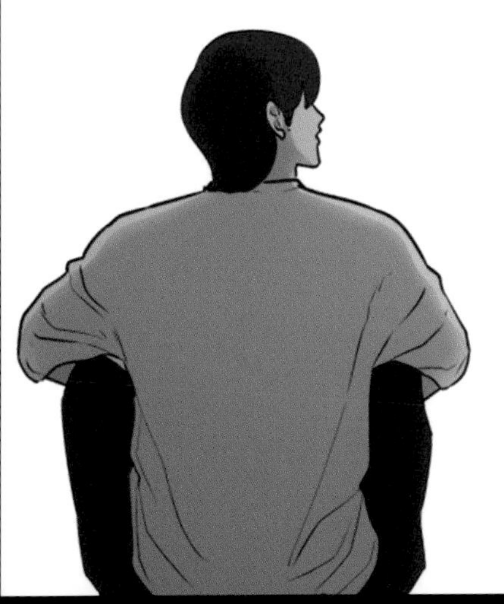
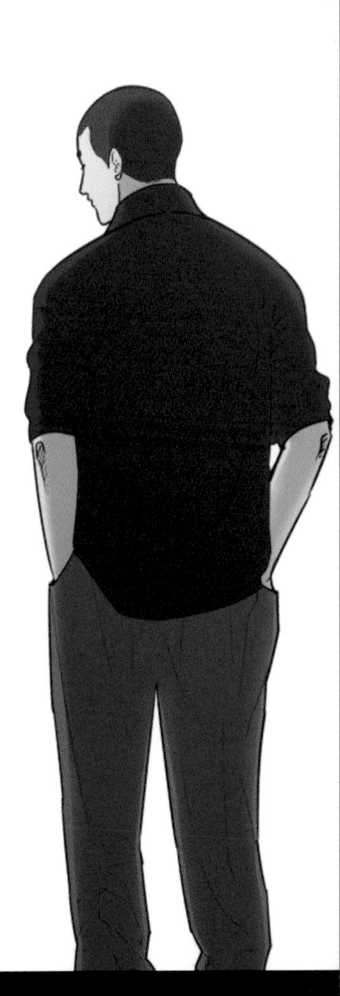
다시는
포기하지 마라.
너는
내 농구 인생
최대의 걸작이
될 테니까.

병찬이가
대회 참가 자격을
회복한 건

언론에 이 사건을
알려 일을 키우겠다
으름장을 놓고 난 뒤였고

이 과정에서
수개월의 시간이
흘렀다.

우여곡절 끝에
참가한 병찬이의
첫 고교 대회.

최악의 조 편성에
걸리는 바람에
토너먼트 진출에는
실패했지만

그런데

병찬이는
조별 예선 세 경기 동안
130점을 쑤셔 넣고
전국 모든 대학의
주목을 받았다.

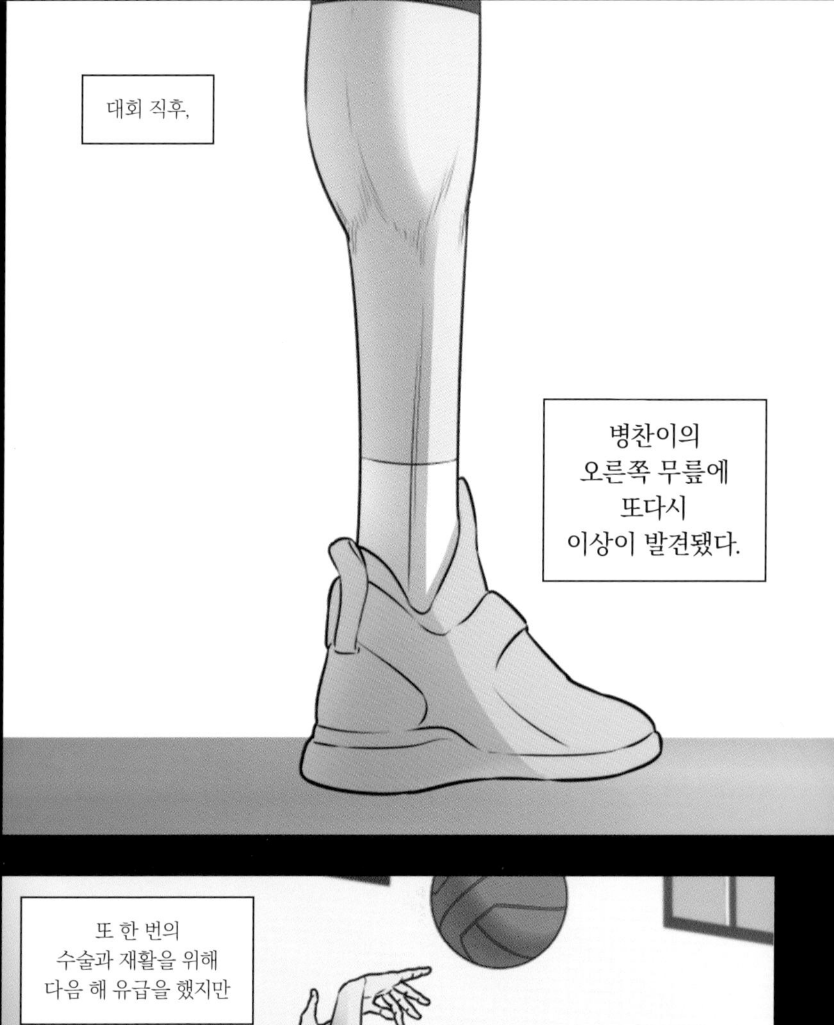
대회 직후,
병찬이의
오른쪽 무릎에
또다시
이상이 발견됐다.

또 한 번의
수술과 재활을 위해
다음 해 유급을 했지만
얼마 지나지 않아
농구부를 떠났다.

이번엔 위로도
해줄 수 없었다.
아마 본인도
알고 있었겠지.
똑같은 부위에 두 번이나
치명적인 부상을 입은
선수를 받아줄 대학은
없을 거란 걸.

그 후 가끔 무료함을
달래러 체육관을 찾던
병찬이의 발길은
점차 뜸해졌고

다시 코트에서
마주칠 일은
없을 거라
생각했다.

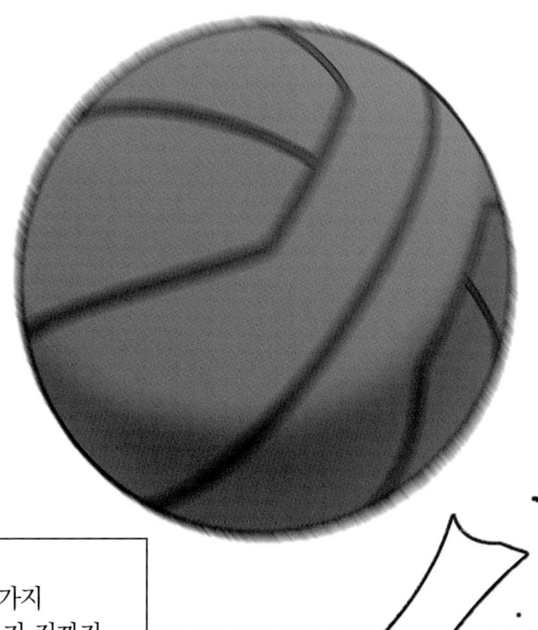

한 가지
제안이 오기 전까지.

1위 원중고 3승 8강
2위 A팀 2승 1패 8강

3위 B팀 1승 2패 **탈락**
4위 C팀 0승 3패 **탈락**

원중고는 3승으로 토너먼트에 진출할 테니까

1위 원중고 3승 **8강**

2위 A팀 1승 2패 **??**
3위 B팀 1승 2패 **??**
4위 C팀 1승 2패 **??**

***득실 비율->득점 순위->**
추첨 순으로 순위 결정

나머지 세 팀은 원중고를 제외한 경기에서 한 번이라도 패하는 순간

8강 진출이 굉장히 힘들어지거든.

그나저나…
무릎 부상이라니 안타깝네요.

운동도 오래 쉬었을 녀석이 오늘도 십 몇 분 뛰는 동안 대충 세어봐도 15점 정도 넣은 거 보면 재능은 여전한데….

농구부 화이팅!
잘하기야 잘하지.
다치지만 않았으면 명문 대학들도 업둥이들 받아주면서까지 서로 데려가려고 난리였을지도.

뭐… 지금도 실력만 보면 당장 대학 무대에 가도 주축 선수로 뛸 수 있는 수준이지만
무릎에 폭탄이 있는 가드로 입학 정원을 채우고 싶은 농구부는 없을 거다.

그래도 저 정도 실력이면 한두 군데 원하는 대학이 있을 만도 하지 않나요?
다시 부상당하는 일이 없을지도 모르고.
에이, 말도 안 되지.

한 번 다친 놈은 계속 다쳐.
게다가 저 녀석은 이미 두 번이나 같은 데를 다친 유리 몸이고.

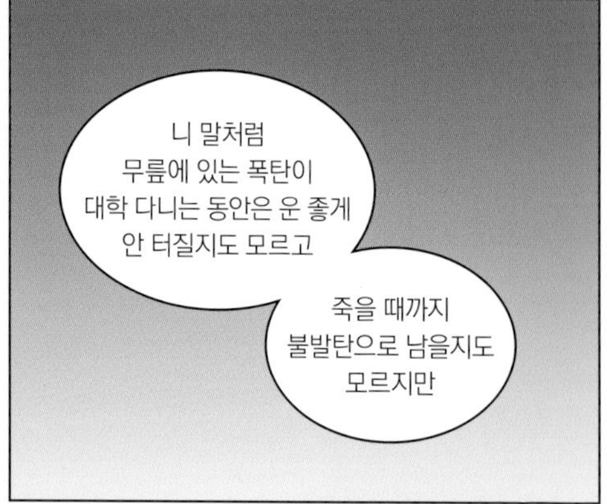
니 말처럼 무릎에 있는 폭탄이 대학 다니는 동안은 운 좋게 안 터질지도 모르고
죽을 때까지 불발탄으로 남을지도 모르지만

그런 확률 낮은 도박을 대체 누가…

……

니 말이
맞은 걸지도
모르겠다.
이제야…

박병찬이 왜
갑자기 다시 나타났는지
대충은 알겠군.

재의중학교 유희성 화이팅!

그 제안을
받게 된 건

불과 몇 주
전이었다.
안녕하십니까,
선생님.

준향대학교
농구부입니다.
저희 농구부
사정은 혹시
알고 계신가요?

지금 저희 1학년들 중에
쓸 만한 센터들이 있어서
골 밑이 꽤 괜찮거든요.
지금은 중위권도
겨우 지키는 상황이지만
내년에 좋은 가드 하나만
들어오면 단숨에
상위권을 노릴 전력이
될 거라 봅니다.
그리고 그
좋은 가드,
병찬이가
되어줬으면
합니다.

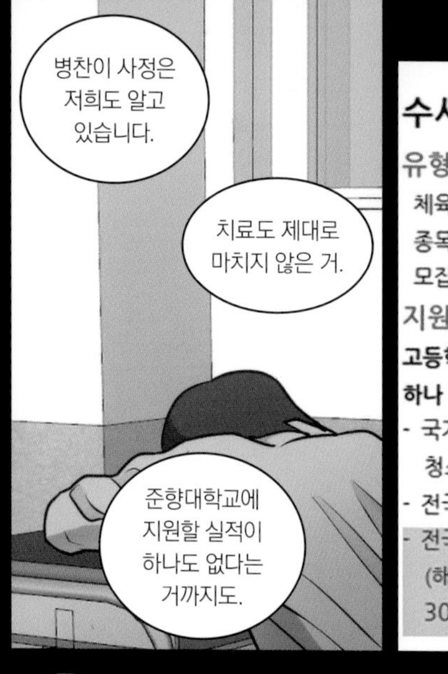

수시 1차, 2차 요강

저희 수시 요강 파일 보시면

유형2 - 체육특기

체육대학 체육교육과

종목 : 농구(남)

모집인원 : 4인 이내

지원 자격에 세 가지 항목이 쓰여 있는데

지원자격

고등학교 재학 기간 중 다음 지원자격 중 하나 이상을 충족한 자

- 국가대표, 국가상비군, 청소년대표, 청소년상비군에 선발된 자
- 전국규모 대회의 개인상 수상자
- 전국규모 대회에서 8강 이내의 입상실적 (해당대회, 팀 전체 경기시간의 30% 이상 출전 시 인정)

다른 건 힘들겠지만

규모 대회의 개인상 수상자

- 전국규모 대회에서 8강 이내의 입상실적 (해당대회, 팀 전체 경기시간의 30% 이상 출전 시 인정)

세 번째에 쓰인 8강 실적 만드는 거 혹시 가능하시면

병찬이 저희 대학에 지원시켜주세요.

저희는 병찬이를 뽑을 생각입니다.

수술은 입학 이후에 하면 되고요.

국가대표, 국가상비군,
청소년대표, 청소년상비
전국규모 대회의 개인상
전국규모 대회에서 8강
(해당대회, 팀 전체 경기
30% 이상 출전 시 인정

한 경기당으로
계산하면 얼마냐?

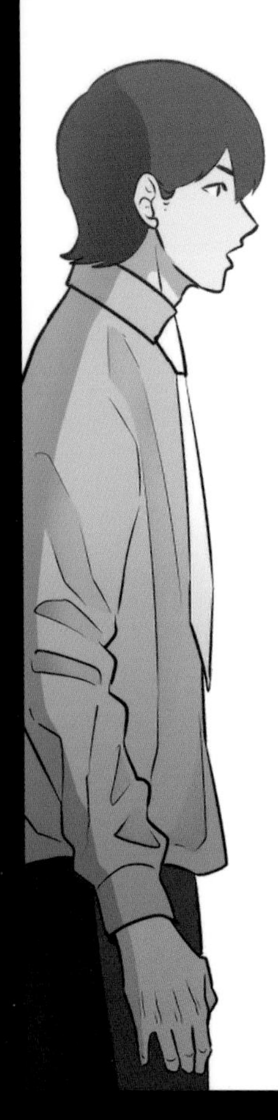

대신

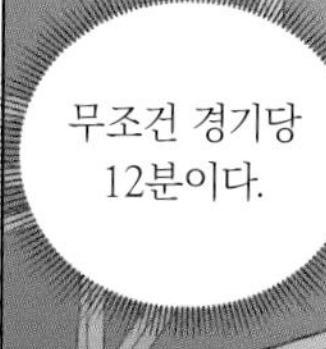
무조건 경기당
12분이다.
한 경기 24분 뛰고
다음 경기 안 뛰고
이런 거 없을 줄 알아.
한 번에
몰아 뛰는 게
훨씬 위험하니까.
그중에서도 베스트는
크게 이기는 경기 막판에
들어가서 설렁설렁
시간 때우고 나오는 거.
09 : 10
상고 조형고
4
64 : 53
그래도
쪼잔하다고
생각하진 마라.
니 무릎 상태를
아는 사람이라면
집 앞에 산책만 시켜도
날 미친 사람 취급할
테니까.
알겠어?

선생님.
저…
조금만
더 뛰게 해주세요.

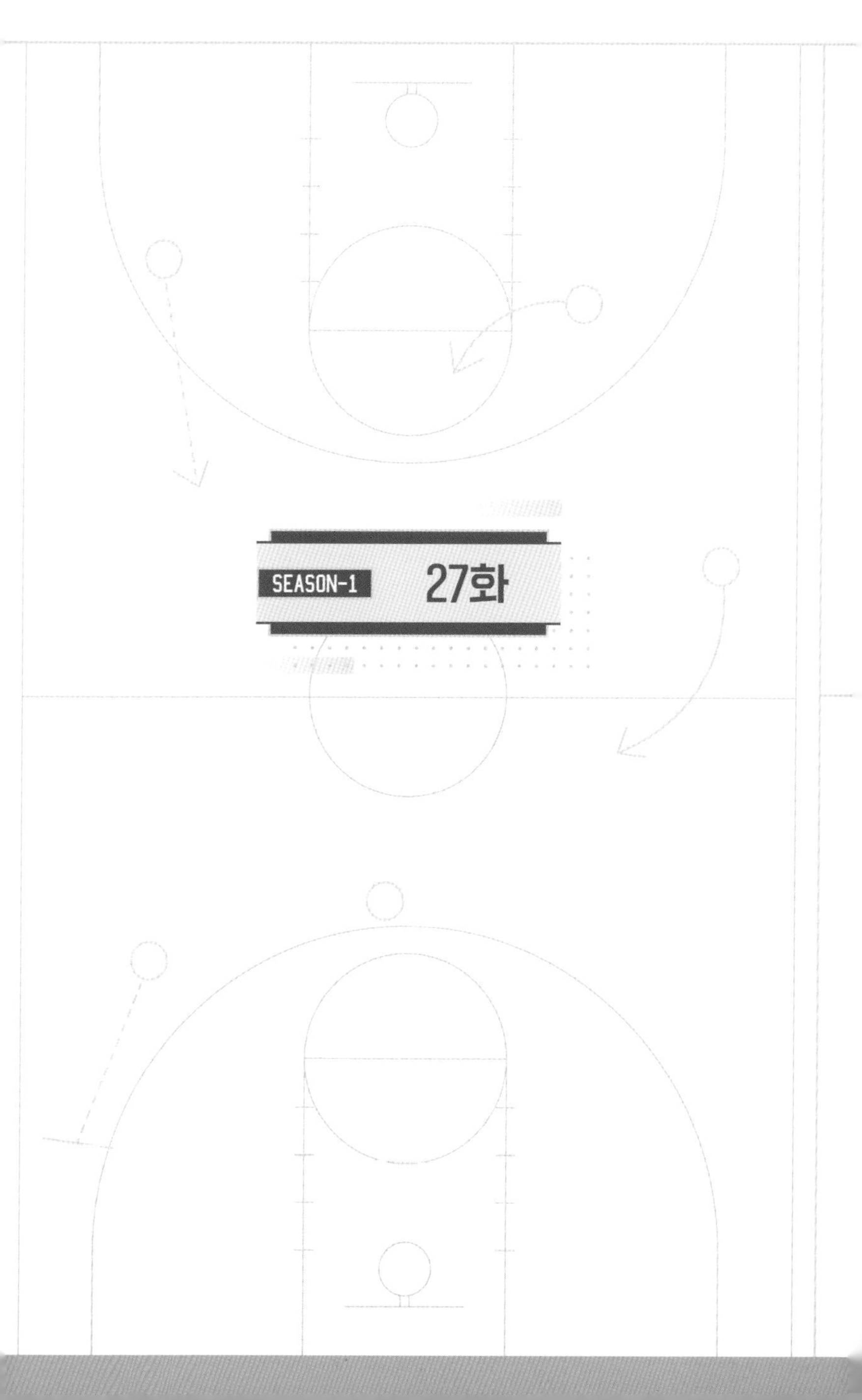

SEASON-1 27화

GARBAGE TIME

남은 경기 전부 이기고
8강 올라가면 돼.

전부 이긴다고요? 원중고는 제가 40분 다 뛴다 해도 이길 수 없어요!
걔넨 무조건 3승으로 올라갈 거라고 선생님이 직접 말씀하셨잖아요!
8강 만들 기회는 아직 많이 있다.
다음 대회도 있고 다다음 대회도 있고…
지상고랑 양훈사대부고가 함께 있는 이번만큼 쉬운 조 편성이 또 나올 확률이 있을까요?
이 두 팀 말고 저희가 승리를 장담할 수 있는 팀이 또 있나요?
명운여고 농구부의 선전을
지금보다 더 좋은 기회는 없어요.

그렇게 농구가
계속하고 싶거든
천천히 치료받은 다음에
학교에서 동생들이랑
운동하면서 일반인
드래프트 준비해.
너 정도면
대학 안 나와도
충분히 프로 될 수
있다.
…그렇게 하다
안 되면요?
또 다치면요?
전 그냥 대학도
못 나온 다리병X…!
야!
이 X끼가
오냐오냐해주니까
버르장머리가
없어져가지고…

입 닥치고
자리 가서
앉아 있어!
명

하…
선생님.

제가 무슨…
어린 나이에 피가
끓는다거나 그래서
고작 고등학교 경기에서
말도 안 되는 부상 투혼
같은 거 보여주겠다는 게
아니에요.

저 이제
스물한 살이에요.
다른 애들보단
그나마 어른스럽게
생각할 줄 안다고요….

지금 경기
남들이 보기엔 매번 하는 대회 그저 그런 조별 예선이겠지만
저는 이 경기 지면…

대학을 못 가요.

……

무릎도
안 좋은 게….

쪼그려
앉지 마라.

……

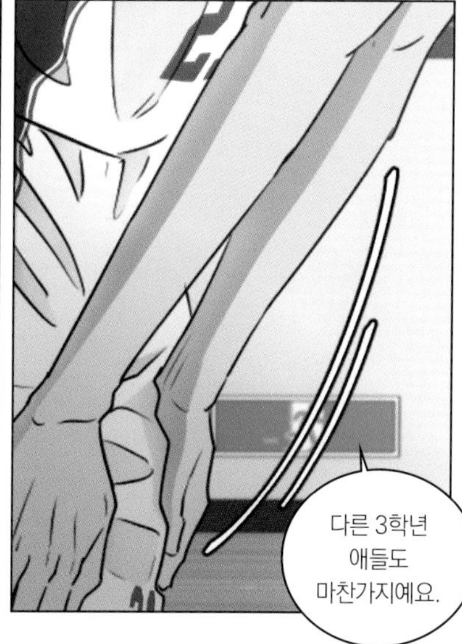
다른 3학년
애들도
마찬가지예요.

지금껏 열심히 해온 애들인데 실적 하나는 만들어줘야죠.

말은 안 하지만
쟤들도 속으론 제가 뛰길 바라고 있을 거예요.

……
의 선전을
여고 동문회 일동
어느 정도면 되냐?

네?

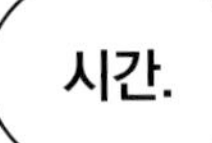
시간.

몇 분이면
되느냐고.

명
명
……
07 : 21
상고 조형
4
66 : 55
당연히…

이길 때까지죠.

큭….

SUBSTITUTION

造形
21

JISANG
6

06 : 51

지상고 조형고

4

66 : 55

얜 대체
뭐지…?

저런 애
있는 줄도
몰랐는데…

병찬이 형이
교체되는 타이밍에
맞춰서 교체됐어.

확실히 6번이 나온
2쿼터에 박병찬의 득점이
꽤나 줄어들었다.
설마 무슨…
숨겨뒀던…

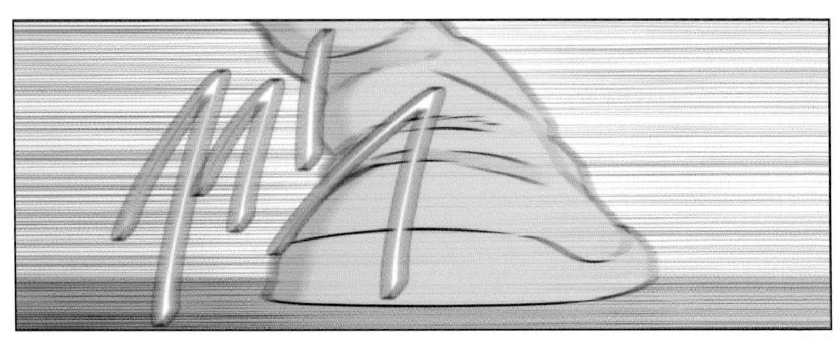

수비 스페셜리스트
같은 건가?
휘익
크윽…!
팅
없다!
리바!

*슈터 가까이에서 손을 뻗는 등의 동작으로 직접적인 접촉 없이 슛을 방해하는 것.
블록슛이 되지 않더라도 물리적, 심리적 압박을 가함으로써 슈팅 성공률을 낮출 수 있다.

내 동작에
훨씬 빠르게
반응하고 있어.
내가 어떻게
움직일지 꿰뚫어 보고
있는 듯이…!

세상에…
희성 화이팅!
상호한테
저런 재주가 있는 줄은
꿈에도 몰랐어.
…이건 그냥
제 생각인데요.
상호는

중학교
때부터

지금까지
JISANG

늘 남들이
하는 모습만
지켜보는 게
일상이었잖아요.

그래서 저렇게
할 수 있는 게
아닌가 싶어요.

그동안 엄청
뛰고 싶었겠지.

슈팅만 되면
훨씬 더 많이
뛸 수 있겠지만
그러지 않아도
지금보단 더 뛰게
해줄 수 있다.

오늘 얼마만큼
더 보여주느냐에
따라서.

크윽!
우웅

삐익
6번 파울!
엑…

휴…
하마터면
또 공격자 파울이
불릴 뻔했어.
왜 자꾸
막히는 거지?
공격이
너무 단순한가?

맞아.

그동안
나도 모르게
오른쪽 다리를
의식해서…

잠깐만.

너…
설마…
아이씨…

알아버렸나.

재의중

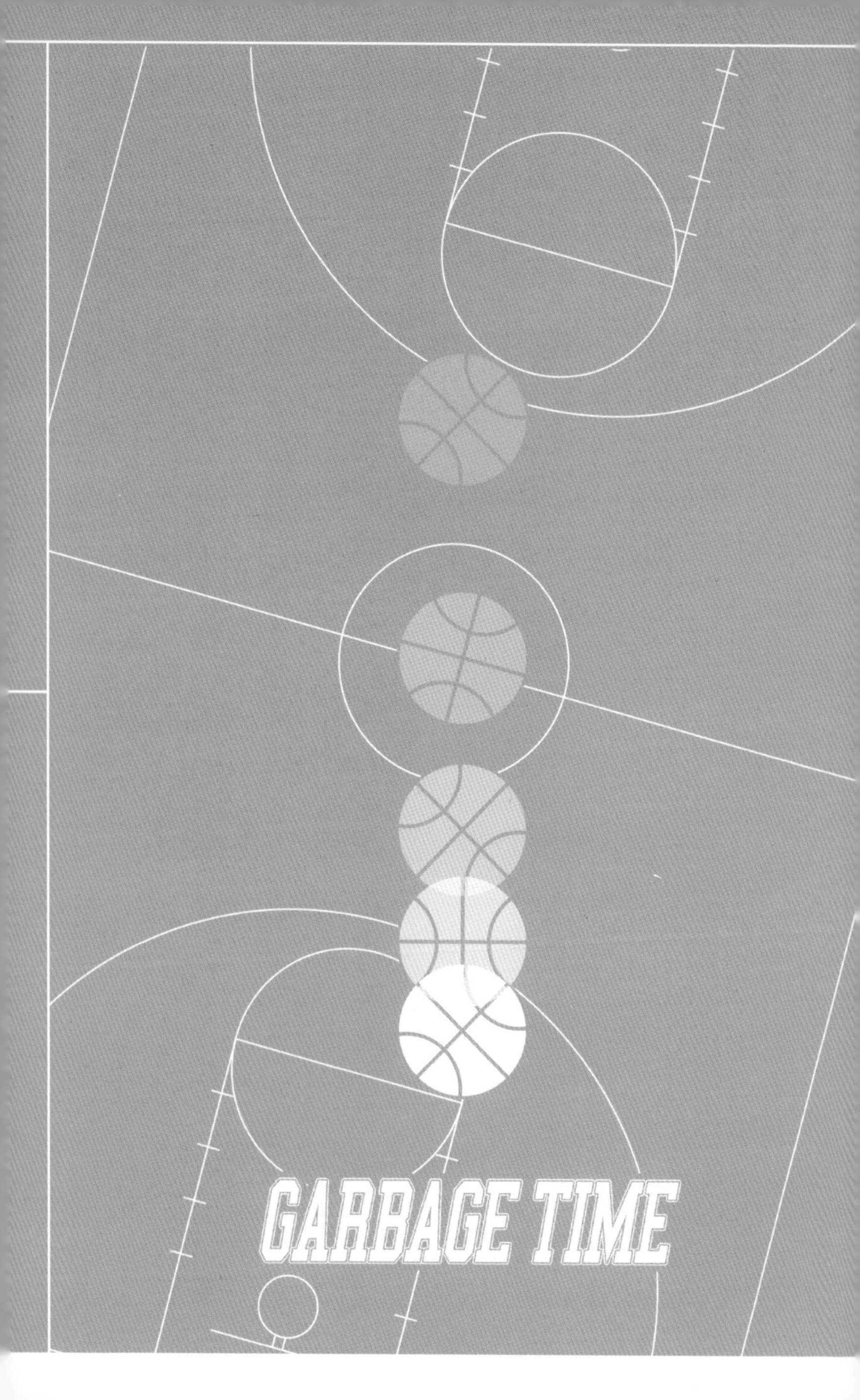
GARBAGE TIME

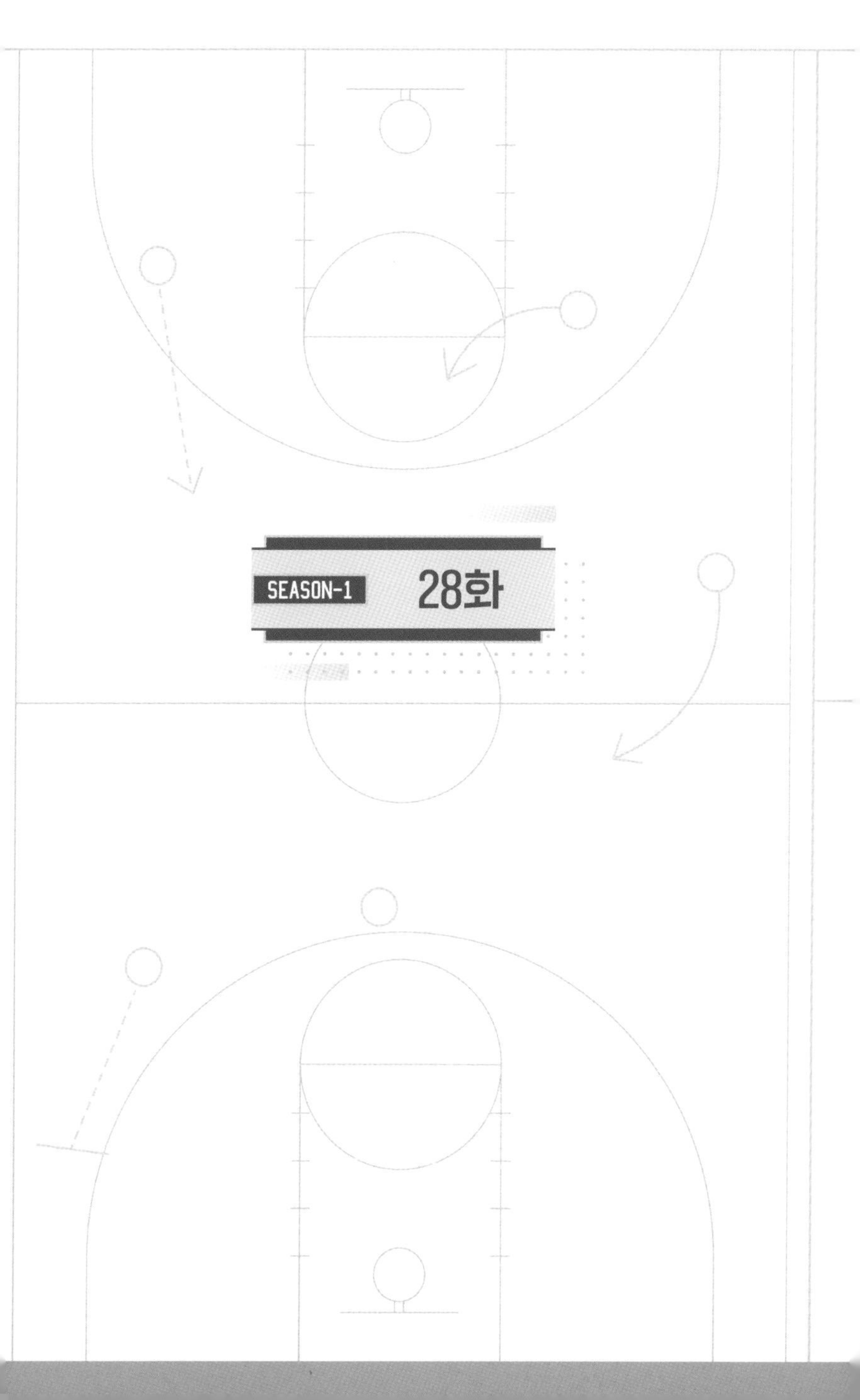
SEASON-1
28화

GARBAGE TIME

이 자식…
내가 오른쪽에서 움직임이 단순하단 걸 알고

아까부터 날 그쪽으로 몰고 있어.

흥
그래봤자
오른쪽 무릎이 걱정이 돼서 그랬을 뿐이지

오른쪽에서도
똑같이 할 수
있다고!

비하인드…!

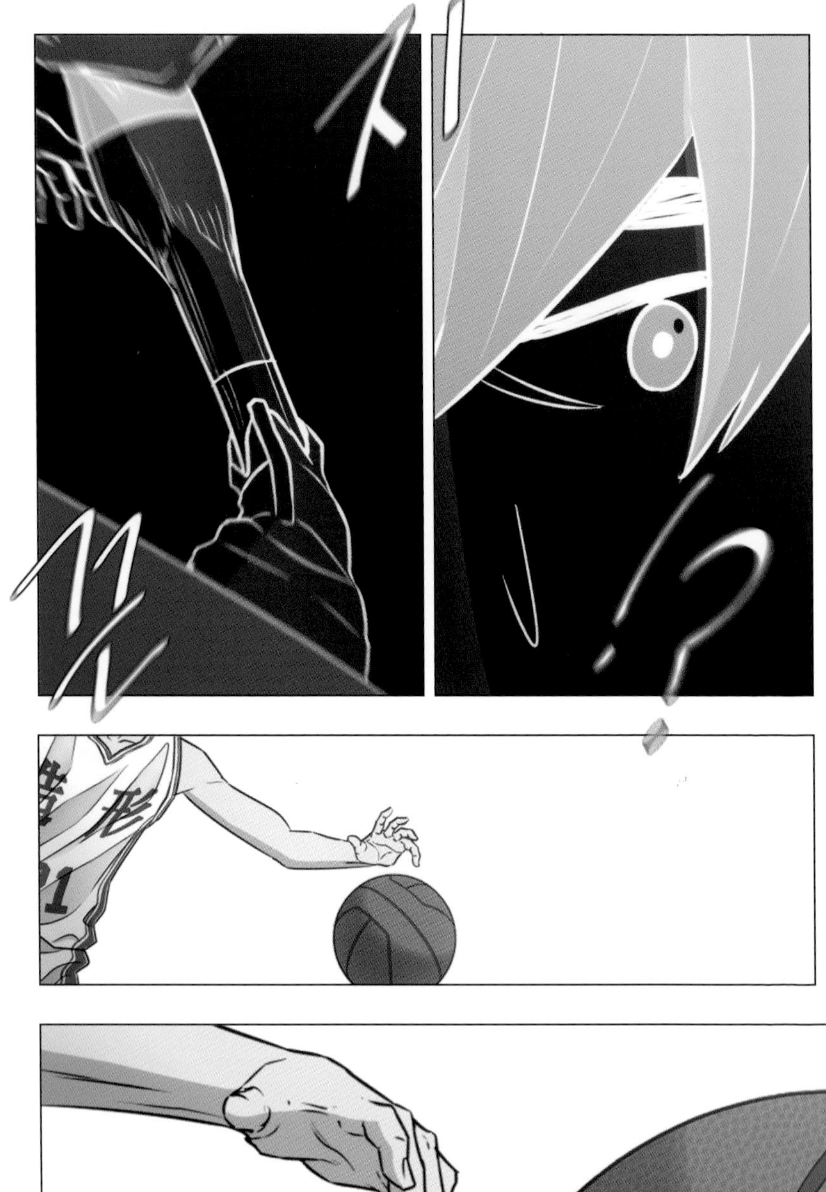

휙
통
그
탁
흘렸다!
속공!
크윽…!

아픈 다리를
인질 삼은 거 같아서
좀 찝찝하지만…

그렇다고
봐주기도 이상한 거
아닌가?

말도 안 돼…
6번은 또
누구죠?
박병찬을
제대로 막아내고
있어요.
ISANG
6

쟤는 나도
처음 보는데….
……

후반전 들어
지역방어가 가능해진
와중에도
6번만은 박병찬을
맨투맨으로 마크하도록
붙여놨어.

디펜스가
좋은 녀석이라는
거겠지.
그 방법으로
박병찬이 계속
막히는 상황인데도
조형고는
박병찬이 해결하기를
고집하고 있어요.

조형고의
나머지 넷이 약한 이유도
있겠지만…

서로…
믿고 있는 거야.

자기네 애가
이길 거라고.

병찬이.

예?
넌 어떻게 된 게 공만 잡으면 무작정 골 밑으로 들이받을 생각만 하냐?
하지만 제일 잘하는 게 이건데요.
확률도 제일 높고….
그렇긴 하다만… 넌 단순한 게 가장 문제다.
그런 식으로 계속하다보면 언젠간 막히게 돼 있어.
적어도 고등학교 다니는 동안은 그럴 일 없을 거예요.
이 자식이….
자만하지 마.
상대가 아무리 만만해 보여도
똑같이 유니폼을 입고 있는 녀석이야.

같은 공격이
반복되면

상대도 학습을
하고
적응을 한다.

그런 상대를 골탕 먹이기 위해선 다양한 수를 보여줄 필요가 있어.
농구뿐만이 아니라 상대를 마주하는 모든 스포츠에 통하는 말이야.
방금 상황에서 다른 수는 뭐가 있는데요?
그걸 왜 나한테 물어보냐?
게임 중에도 나한테 물어보면서 할 거냐?
농구 할 때 중요한 것들 세 가지 그중 두 번째,
내가 뭐라 했어?

그것은

뭐더라?
야, 뭐고?
한 번만 더 말해준다.
지상고등학교
SCHOOL
농구 할 때 중요한 것들 세 가지, 그중 두 번째는…

'생각하는 것'이다.

니들 머리는 모자걸이가 아니야.
숫을 하건 패스를 하건

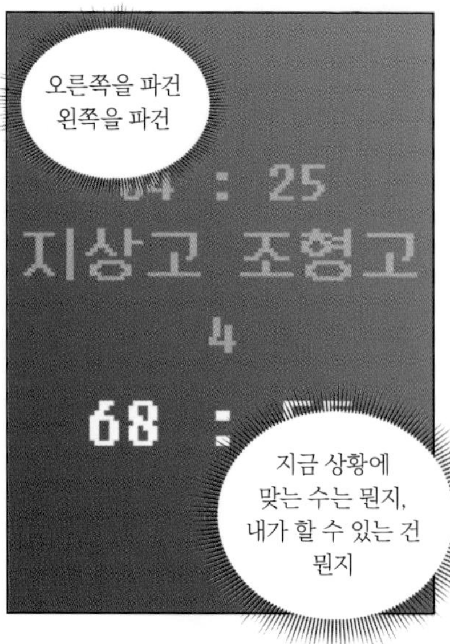

오른쪽을 파건 왼쪽을 파건
25
지상고 조형고
4
68 :
지금 상황에 맞는 수는 뭔지, 내가 할 수 있는 건 뭔지

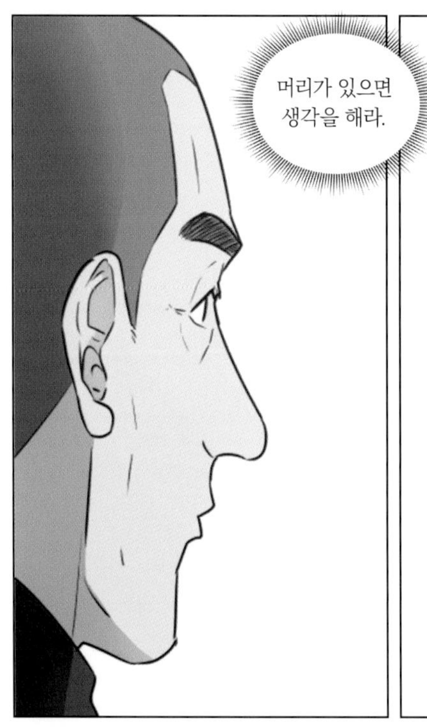

머리가 있으면 생각을 해라.

농구는 결국…

수 싸움이거든.

너.

?

꽤 괜찮네.
의료지원
연구 좀 하고 왔나봐?

하…
설마 고등학생한테 막힐 줄이야.

내가 졌다.
?

일대일은 이제 못 하겠어.

JISANG 6
JISANG 6
어차피
왼쪽으론
못 간다고!

스크린!?

뚫었다!
태성이 형!

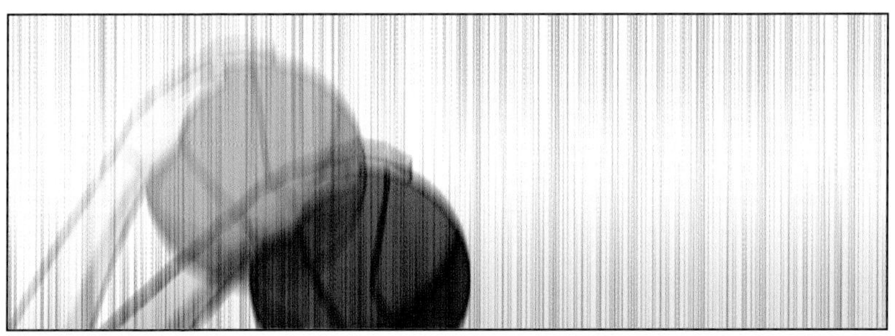

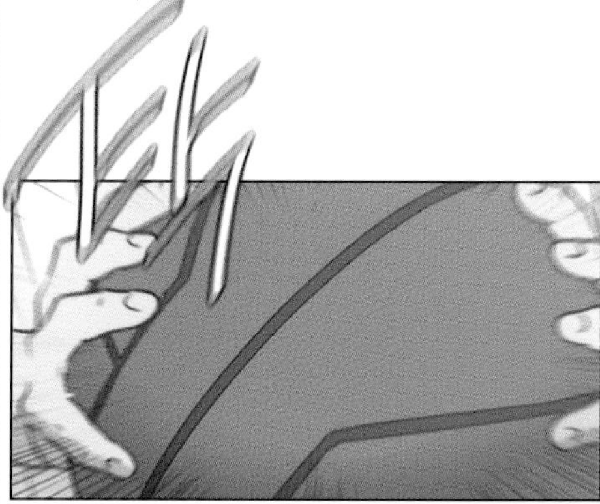

04 : 19
상고
4
68 : 57
나이스 패스!!!
굿샷!

이 경기…
造形
21
4분 안에
뒤집는다.

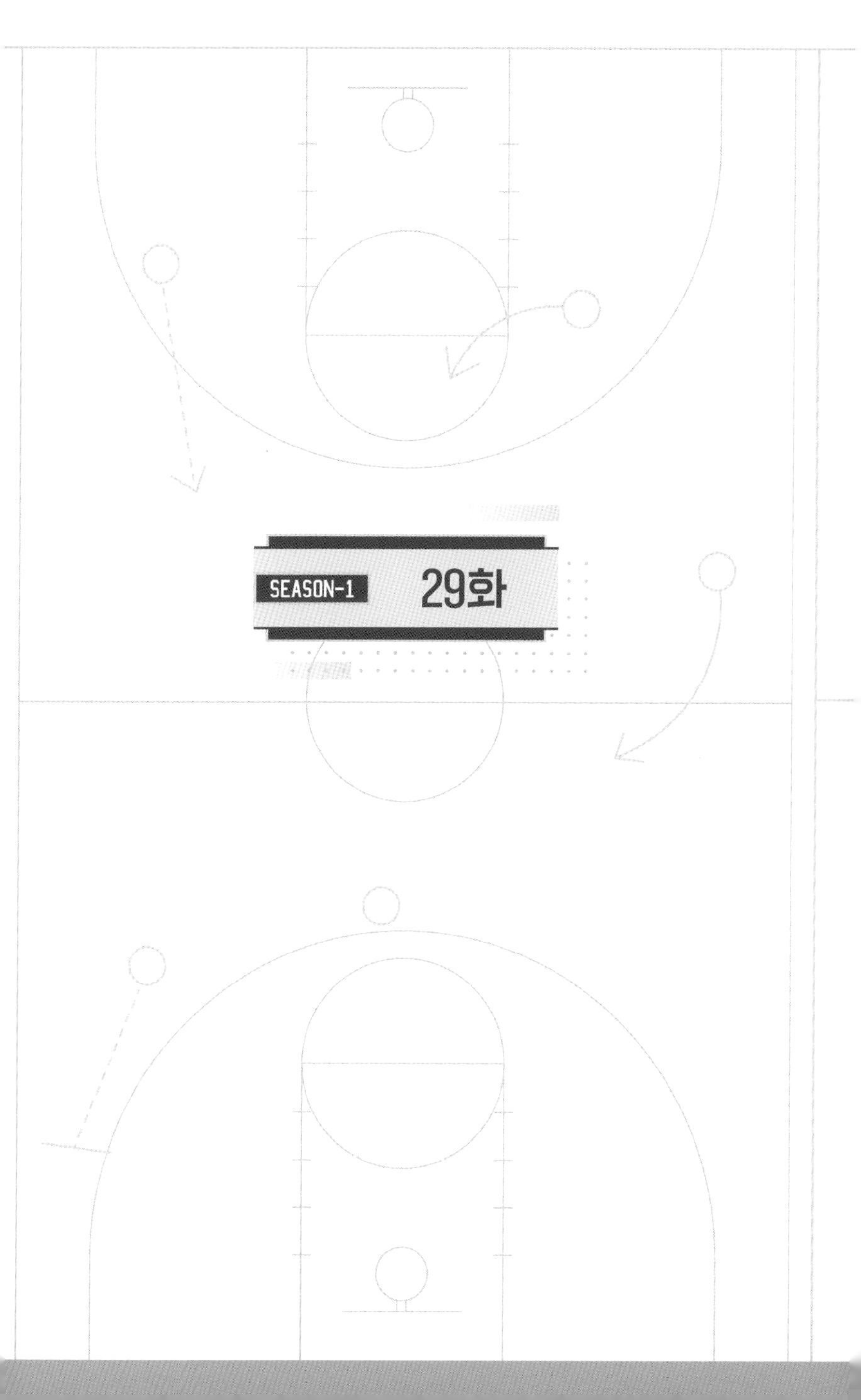
SEASON-1
29화

GARBAGE TIME

이번에는
뭐고?

또 스크린이가?
의료지원

스크린 있으면
있다고 말을
해줘야지.
형들은 뒤에서
뭐 하는 거고?
JISANG

얘길 안 해주니까
꼼짝도 못 하고 당한 거
아이가?

설마
이번에도…

좋아.
아직은 없다.

헉!

태성이 형!
내 쫌
그만 찾아라!

멈칫

造形
9

또 패스…!

페이크…!

탁

굿샷!

앤드원!
오케이!
02 : 59
상고 조형
4
68 : 59

9점 차…!
자유투까지 넣으면…

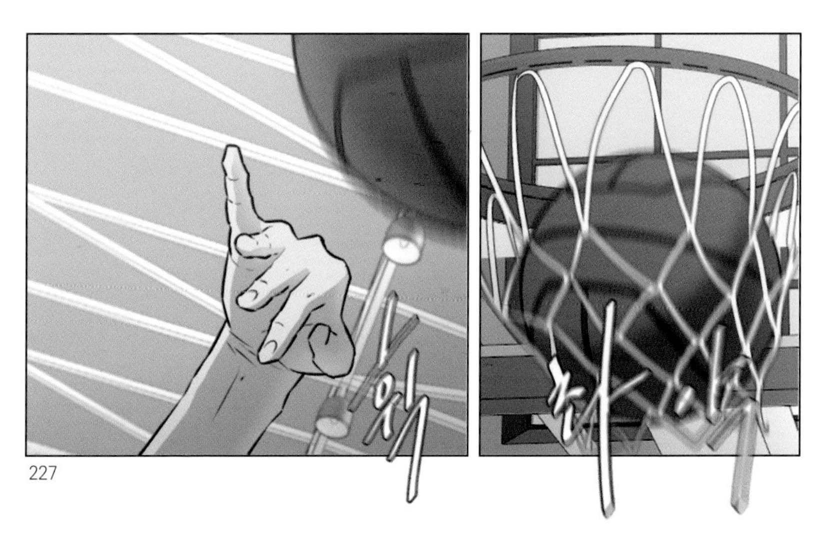

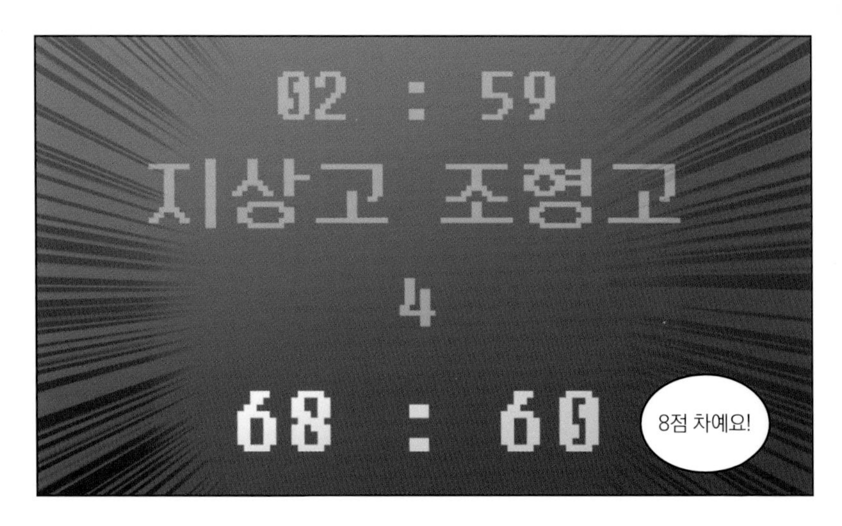
02 : 59
지상고 조형고
4
68 : 60
8점 차예요!

이 와중에
지상고는 아까부터
제자리걸음…
기껏 수비
성공한 것도 득점으로
연결하지 못하고
있어요.
지상고
31번.

지금까지
3점슛 다섯 개 시도 중
네 개 성공.
최고의
컨디션이지.

저 녀석한테
박병찬이
붙었어.

계속 스크린
타면서 도망 다니고
있긴 한데

저만큼 빠른 놈을
따돌리기가 쉽진 않지.

헉!?
티
뺏었다!
속공!
나이스!

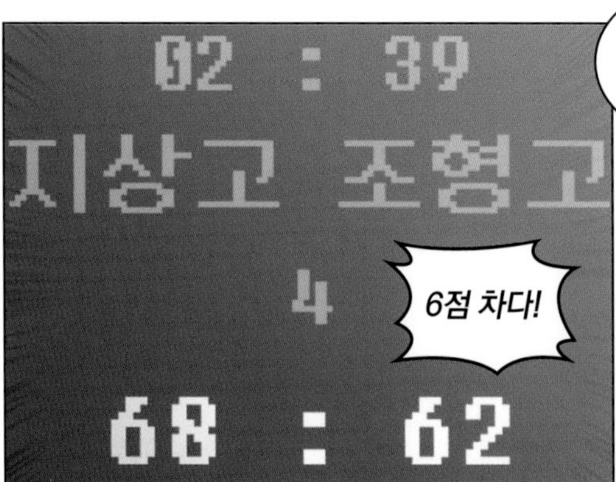
02 : 39
지상고 조형고
4
6점 차다!
68 : 62

거의 다 왔어…!

마! 재유! 괜찮으니까 더 천천히 해라!
예!
이거 슬슬 불안해지는데….

둘, 셋,

수비해!!!

또…!

패스!
탁
JISANG

파앗
21
JISANG
31

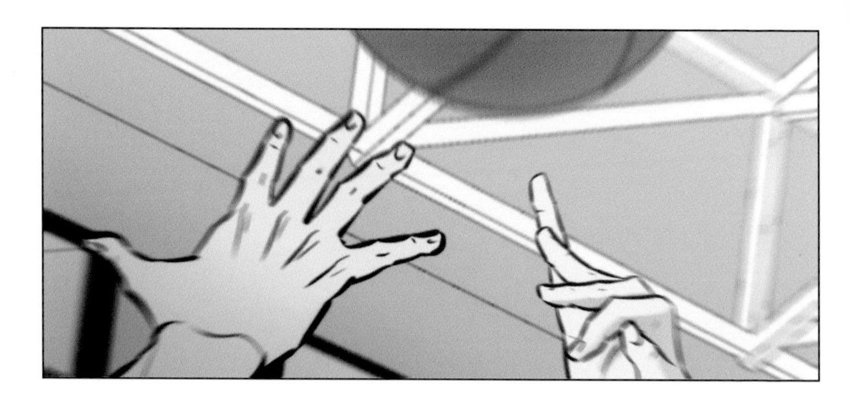

팅
까비!
리바!

백코트!
21번
저 자식…

점점 더 상태 안 좋아지는 거 같은데.

상호 얘길 듣고 나니 보인다.

방금 블록 시도 이후에

부자연스러울 정도로 왼발로만 착지했다.

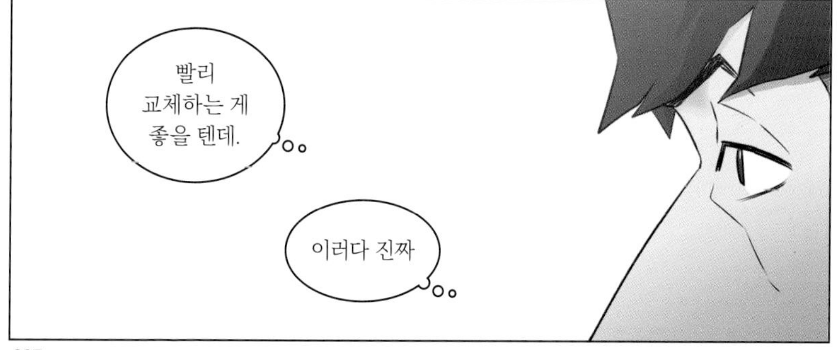
빨리 교체하는 게 좋을 텐데.
이러다 진짜

큰일 날지도
모릅니다.

살살해요.
많이 아픈 거
같은데.

그러다
다칠지도
몰라요.

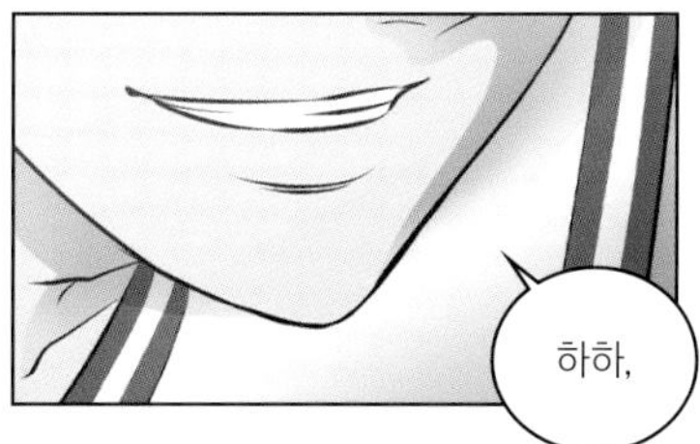
하하,

여기서 지든지
아니면 다치든지

어차피…
나한텐
똑같은데?

造形
21

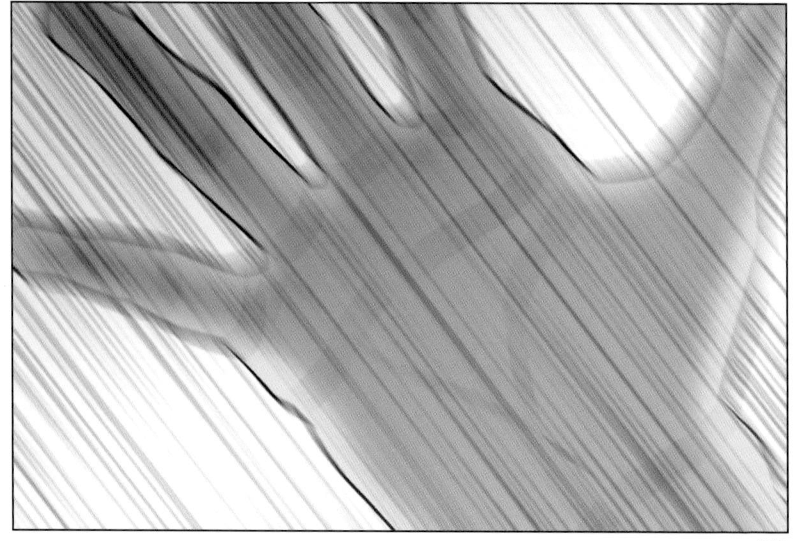

4권에서 계속

가비지타임 3

초판 1쇄 인쇄 2023년 6월 2일
초판 1쇄 발행 2023년 6월 28일

지은이 2사장
펴낸이 김선식

경영총괄 김은영
제품개발 정예현, 윤세미 **디자인** 정예현
엔터테인먼트사업본부장 서대진
웹소설1팀 최수아, 김현미, 심미리, 여인우, 장기호
웹소설2팀 윤보라, 이연수, 주소영, 주은영
웹툰팀 이주연, 김호애, 변지호, 윤수정, 임지은, 채수아
IP제품팀 윤세미, 신효정, 정예현
디지털마케팅팀 김국현, 김희정, 이소영, 송임선, 신혜인
디자인팀 김선민, 김그린
해외사업파트 최하은
저작권팀 한승빈, 이슬
재무관리팀 하미선, 김재경, 안혜선, 윤이경, 이보람 **제작관리팀** 이소현, 김소영, 김진경, 양지환, 이지우, 최완규
인사총무팀 강미숙, 김혜진, 박예찬, 지석배, 황종원 **물류관리팀** 김형기, 김선진, 양문현, 전태연, 전태환, 최창우, 한유현
외부스태프 정예지(본문조판)

펴낸곳 다산북스 **출판등록** 2005년 12월 23일 제313-2005-00277호
주소 경기도 파주시 회동길 490
전화 02-704-1724 **팩스** 02-703-2219 **이메일** dasanbooks@dasanbooks.com
홈페이지 www.dasan.group **블로그** blog.naver.com/dasan_books
종이 아이피피 **출력·인쇄** 북토리 **코팅·후가공** 제이오엘엔피 **제본** 다온바인텍

ISBN 979-11-306-4283-3 (04810)
ISBN 979-11-306-4300-7 (SET)

• 책값은 뒤표지에 있습니다.
• 파본은 구입하신 서점에서 교환해드립니다.
• 이 책은 저작권법에 의하여 보호를 받는 저작물이므로 무단 전재와 복제를 금합니다.

다산북스(DASANBOOKS)는 독자 여러분의 책에 관한 아이디어와 원고 투고를 기쁜 마음으로 기다리고 있습니다.
책 출간을 원하는 아이디어가 있으신 분은 다산북스 홈페이지 '원고투고'란으로 간단한 개요와 취지, 연락처 등을 보내주세요.
머뭇거리지 말고 문을 두드리세요.